劉福春・李怡 主編

民國文學珍稀文獻集成

第二輯

新詩舊集影印叢編　第76冊

【徐志摩卷】

徐志摩選集

上海：萬象書屋 1936 年 4 月初版

徐沉泗、葉忘憂　編

花木蘭文化事業有限公司

國家圖書館出版品預行編目資料

徐志摩選集／徐沉泗、葉忘憂　編 — 初版 — 新北市：花木蘭文化事業有限公司，2017〔民 106〕

240 面；19×26 公分

（民國文學珍稀文獻集成・第二輯・新詩舊集影印叢編　第 76 冊）

ISBN 978-986-485-151-5（套書精裝）

831.8　　106013764

ISBN-978-986-485-151-5

9789864851515

民國文學珍稀文獻集成・第二輯・新詩舊集影印叢編（51-85 冊）

第 76 冊

徐志摩選集

編　　者　徐沉泗、葉忘憂

主　　編　劉福春、李怡

企　　劃　首都師範大學中國詩歌研究中心
北京師範大學民國歷史文化與文學研究中心
（臺灣）政治大學民國歷史文化與文學研究中心

總 編 輯　杜潔祥

副總編輯　楊嘉樂

編　　輯　許郁翎、王筑　美術編輯　陳逸婷

出　　版　花木蘭文化事業有限公司

社　　長　高小娟

聯絡地址　235 新北市中和區中安街七二號十三樓
電話：02-2923-1455／傳真：02-2923-1452

網　　址　http://www.huamulan.tw 信箱　hml 810518@gmail.com

印　　刷　普羅文化出版廣告事業

初　　版　2017 年 9 月

定　　價　第二輯 51-85 冊（精裝）新台幣 88,000 元

徐志摩選集

徐沉泗、葉忘憂 編

萬象書屋（上海）一九三六年四月初版。原書三十二開。

現代創作文庫
徐志摩選集
上海萬象書屋印行

現代創作文庫

・第六輯・

徐志摩選集

徐沉泗
葉忘憂 編選

現代創作文庫序

有一個不可否認的事實：——自從「五四」以來，「新文學」的創作雖已奠定了它的基礎，但它的讀者至今還被限制在所謂小智識份子羣裏。一般遺老遺少固然不屑看它，一般店員學徒，小市民，工人以及農民等等，卻也「不能」看到它。

這一個事實遂使新文學創作物的發行可憐到平均每種印不過三千；而封神榜，三國志卻印行不衰，江湖奇俠傳，啼笑姻緣也都賣到若干萬部！——我們大多數讀者就沉醉在這里面！

把文學送到整個大衆的腦子里去，這是大衆文學的整個問題。把已經讀封神，三國以及「奇俠」「姻緣」之類的讀者奪取過來，這問題的一半固然還在文學的內容與形式上；而那一半卻未始不是出版上的問題了。前邊說：一般店員學徒，小市民，工人以及農民等等之「不能」看到新文學的創作者，也就有一半是他們根本接受它不到手。

舉例說：一個內地小城市的店員，可以在賣百家姓的書店里買到趙五娘琵琶記，也許可以買到江湖奇俠傳。但買不到吶喊，彷徨。——即使書店放出一本來罷，但一見那看不慣的封面，裝訂，也就駭住了，不知是一部什麼天書。——再一個「即使」罷，即使他想買了，一看定價：六角，一元！一元半！嚇，琵琶記賣八個子兒一本。這，買不起！

所以，一本書的推銷方法，印刷外形，定價高低對於發行上都有那麼大的影響！站在文學的社會作用上說，忽視這個問題，是不應該的。——一般遺老遺少不管它，那些店員，學徒，小市民，工人以及農民中的讀者不該奪取過來麼？

說到這里，我頗贊成一折書籍的印行方法了。我們不管發行者主觀上的作用如何，但它的結果是：第一，推銷的市場擴大而且深入；第二，印刷形式比較接近大衆；第三，價格降低到適合一般購買力。因此之故，有若干翻版的一折書的銷路會超過了原版。這，從街頭巷尾的書攤上可以看出。

也就因此之故，我認為新文學創作物要奪取大部份落後的讀者，用一折書的方法來印行，是目前一個最好的手段。

剛巧，書店里也正有這末樣一個需要，為了實驗這一個理想，使答應下這個文庫的編選工作。

因為是基於這一理想而出發，編選的方法就不得不以這特殊的讀者——我們所應奪取的讀者做對象而稍有不同於一般的方法了。

第一文庫里二十位作家固然不能包括現代中國整個文壇，但這二十位作家的選定是以他的讀者之多寡來取決的。因為本文庫的最大目的是如上所說在於奪取大多數的讀者。——儘管如此，這二十位作家依然還可以概括了整個中國文壇的。

第二每一作家的作品並非按其各個創作時代比例選出，而是以其作品對於讀者的利害為標準。如此中所選張資平之作品，偏重於初期，就是為了初期作品比較地少有毒害。魯迅氏的散文偏於近作，也就是為了更有利於讀者。

第三，針對着這特殊的讀者的鑑賞能力，選稿標準就不同於一般。如魯迅集中不選狂人日記及在酒樓上等篇，而選阿Q正傳及祝福之類。

第四，因為這不是代表作選，故各家所選偏重短篇，而少裁取長篇。好讓讀者多看些整篇的東西。

第五每集附有作者的自序或創作經驗之類及編者的題記，這是為了讀者進一步對於該一作家其他作品閱讀上參考的。

第六，為使讀者明瞭某一作家最近的傾向，故作品目錄的編次是以最近的放在前面，倒編上去。而於各家最近諸作亦儘多採選。

計劃是這末計劃了，但編下來的結果，其缺點可更多了：

第一，書店所給的編選時間，前後只有三個月。收集材料就去了一個月。以後兩個月是每三天一册，這樣急就編選，是自己不能安心的。

第二，本想借這機會多選些最最有利於讀者的作品的。但如丁玲氏之某一部份作品，都買不到手。又以同一原因，蔣光慈的集子也就編不出來。

第三，這二十位作家的名單，也不是完全出於編者的意思。

第四，有些作品寫作時代不清，一時又查不明白，編排上就難免有些顛倒。

第五，因爲時間忽促，選稿不能有長時間的斟酌，連自己的標準有時都難合了。

第六，有許多在再版或其他原因一時買不到的書，未能收齊，致有許多已經選定的作品臨時抽去，更是無可奈何的事。

但因爲這不過是個實驗，一切都待諸將來補救了。

編者　一九三六，三，一八。

現代創作文庫 ・第六輯・

徐志摩選集目次

詩：

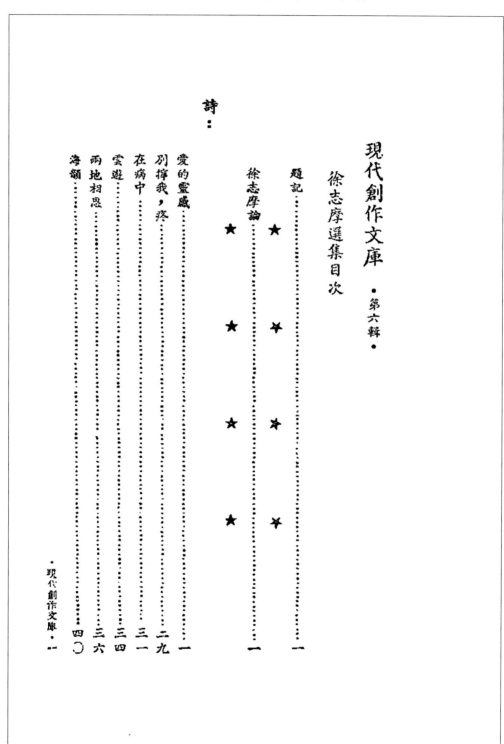

小說：

題記

對於這位「新月派」的最大詩人徐志摩氏，不想多說什麼話。這里附錄了穆木天氏的徐志摩論，足夠讀者認識的了。

此地所選以詩為主。散文，在他「只是詩的一種形式」故在詩后錄了巴黎鱗爪二篇，自剖六篇。他不是個小說家，但亦常作小說，曾有輪盤一集問世。這里錄了三篇放在最后——因為這是他的副業的原故。

徐志摩，浙江硤石人。留學英國。三年前因為「想飛」之故，乘飛機赴北平，中途飛機觸山因致身死。

他的著作計：

詩集：志摩的詩，翡冷翠的一夜、猛虎集，雲遊。

散文集：落葉，自剖，巴黎鱗爪，及秋。

小說：輪盤。

戲曲：卞崑岡。

徐志摩論

穆木天

——他的思想與藝術——

上

雖然他的大部分的作品是「五卅」以後制作的，詩人徐志摩總算是「五四」時代的詩人。他的創作活動，自從「五四」運動開始的。他的作品中反映的，也正是「五四」時代之一部分的知識分子的心理意識。如果說「五四」時代的代表的詩人是郭沫若王獨清和徐志摩的話，那麽代表初期的狂飆時代的，是小市民的流浪人的浪漫主義者郭沫若，代表末期的頹廢的空氣的是落難公子王獨清，而代表中間期的，則是「新月」詩派的最大的詩人徐志摩了。

雖然沒有郭沫若那樣龐大的野心，到一切的文學的領域去作廣汎的嘗試，雖然他的活動範圍什九止於是詩歌之內，——因為他的大部的散文是詩的一種形式，而他的小說「輪盤」是不成為小說，——可是徐志摩是有著他的偉大的存在的意義（raison d'être）。他不止是「新月派」的盟主，而且，他的全部的詩作，是代表着「新月派」的詩歌之發展過程。在他的「靈魂的冒險」中——「在他，「這靈魂的冒險是生命核心裏的意義」（迎上前去）——可以說包容着「新月派」詩歌之一切。雖然在他的多量的詩作中，含有着好些唯美主義印象主義的要素，可是詩人徐志摩不是頹廢的，而是積極的。他是現代中國的一位尼采，他深信着他是一位中國的查拉圖斯脫拉。他要求着像大鵬似地作逍遙的雲遊。對於他所不滿意的現代中國社會，他不抱厭世觀，而更不抱那「童孩性的樂觀主義」雖然他的人生觀，是值得我們分析和批判的，可是他始終「是一個生命的信徒」（迎上前去）他「是一隻沒有籠頭的野馬。」他的詩歌的創作，是他對於社會不調和的表現。換言之，他的詩歌，就是他的「靈魂的冒險」的象徵。

詩人徐志摩始終是「一個生命的信徒。」他始終對於他所憎惡的時代挑戰。他的口號是 Everlasting yea, Everlasting yea。在落葉裏他那樣地吶喊，在末期的散文作品秋的裏邊，他也是那樣地吶喊。他認為「人原來是行為的動物」（落葉。）他主張用「積極的態度對運命宣戰」因為「這是精神的勝利，這是偉大」這是「不可搖的信心，不可動的自信力」的表現。對於社會，他所要求的是「澈底的來過。」（青年運動。）在詩篇嬰兒裏邊，他說：「我們要盼望一個偉大的事實出現，我們要守候一個馨香的嬰兒出現。」詩人徐志摩，信仰着他的理想，一生的努力，就是目標着他那個

「馨香的嬰兒」之創造

詩人徐志摩對於人生之這種積極的態度，是須要從他的生活環境去說明的。詩人的家庭，是相當地資本主義化了的地主家庭，在猛虎集的序文中，詩人徐志摩說：「在廿四歲以前我對於詩的興味遠不如我對於相對論或民約論的興味。我父親送我出洋留學是想要我將來進『金融界』的，我自己最高的野心是想做一個中國的 Hamilton」想使兒子進金融界之那種企圖，是證明着詩人的父親是相當地都市市民化了。想作中國的哈彌爾敦之那種野心，是足以反映出來詩人的青年時代是有着狂飆般的政治的要求。這種向上的市民的要求，使詩人徐志摩成為「一個不可教訓的個人主義者」（列寧忌日——談革命）使他接受了西洋的入世的思想。在天目山中筆記裏，他說：「我們承認西洋人生觀洗禮的，容易把做人看得太積極，入世的要求太猛烈，太不肯退讓，把住這個熱虎虎的一個身子一個人放進生活的軋床去，不叫他留存半點汁水回去。」他的那兩個有力量的外國字 everlasting yea，自然是他那種個人主義的表現。然而詩人雖然到了美洲的大陸，可是他從美國所受的影響，幷不見得怎麽顯著。詩人自從士大夫的環境轉變到市民的環境的。從他的作品看，詩人身上，是充滿着二重的性格。我們也或者可以說，如法國的服爾德似地，他是一個貴族的市民。因之，大都市的工業社會的文明與他無有多大的緣分。惠特曼一類的詩人，沒有給與過他多大的影響。而法國的孔德一流的實證主義的哲學，也像是沒有給過他若干的薰陶。他「擺脫了哥崙比亞大博士衡的引誘，買船票過大西洋，想跟二十世紀的福祿泰爾（福爾德）認眞念一點書去，（我所知道的康橋，）這也足證明他對於不夜城紐約的都市生活表示着不調和了。他以為「實利主義的重量完全壓倒人的靈性的表現」（論自殺，）如印度的泰戈爾老人似地，他否定二十世紀的文明，要回到自然。他感到「文明只是墮落，」他詛罵「文明人」（海灘上種花。）同美國的風尚不相合，到了康橋，徐志摩接受了吸烟的文化。康橋使詩人作了一個重新的開始。在吸烟與文化裏邊，他說：「我在康橋的日子可眞是幸福，深怕這輩子再也得不到那樣甜蜜的機會了。我不敢說康橋給了我多少學問或是教會了我什麽。我不敢說受了康橋的洗禮，一個人就會變氣息，脫凡胎。我敢說的只是——就我個人說，我的眼是康橋教我睜的，我的求知欲是康橋給我撥動的，我的自我的意識是康橋給我胚胎的。」在康橋的那種貴族的世界中，他忙着散步，划船，騎自轉車，抽烟，閒談，喫五點鐘茶牛油烤餅，看閑書。在那個心欲的國土裏，他建立了他的理想主義的哲學，他的自然崇拜的理想。那種陶養，使他深感到「浪漫的懷鄉病，」憧憬到「草深人遠，一流冷澗」的境界。強烈的個人主義的everlasting yea和浪漫的懷鄉病，因之，成為了這位「朝山客，」這位「不羈之馬」的思想的中心。他的藝術的人生觀——「生活是藝術」（話）——在康橋是被胚胎出來了。

貴族的市民出身的詩人徐志摩在康橋同當時的貴族化的英國市民社會融合一起。他深受了英國的世紀末的唯美主義印象主義文學的影響。同時，他又接受了英國的貴族層的浪漫詩人的薰陶。如果有人對於英國十九世紀末的文學同徐志摩的作品對照起來，作一個比較研究，我以為是很有趣味的。在十九世紀末期的英國，資本主義到達了極絢爛極成熟的時代，寄生的社會層得到了過剩的生活餘裕，於是應運產生出來對於世界的全然唯美的態度，人生之最高的意義在於美的主張。達到了帝國主義的成熟期的英國，擁着廣大的殖民地，在歐戰之後，其資產者社會仍持續着過去寄生生活。而且，在歐戰期，英國沒有直接地蒙着戰禍，它的牛津仍是牛津，牠的康橋仍是康橋。從那種貴族化的市民社會，詩人徐志摩發現了他的理想的糕糧。他發現了他的理想的政治與理想的革命（政治生活與王家三阿嫂。）而是在那裏他發現了他所心愛的諸作家。在他以為，他那些「生活的趣味」都是些「不預期的發現。」他告訴過我們，斐德（W. Pater）歌德、柏拉圖、雪萊、杜思退益夫斯基、托爾斯泰、丹農雪烏、盧梭、波多萊爾之所以被他發現，「都是邂逅，不是約會。」（濟慈的夜鶯歌）他認為是偶然的。然而他沒深注意到英國的諸現實主義的巨家，而把主義放到濟慈、渥理滋渥斯、卜雷克、拜輪和半個雪萊的上面，把注意更放在盧琵節、哈代、梅壘代斯、曼殊斐爾、西蒙茲、哈得生（Hudson）斐德的上面，是不是偶然的呢？他接受了泰戈爾、托爾斯泰、羅曼羅蘭、尼采、丹農雪烏、達文賽哥德，我們很清楚地看出來那裏邊存在着必然性。在他所繙譯的東西之中，有淪亡的貴族福凱（Fouque）的騎士故事渦堤孩，有貴族的市民服爾德的贛第德，有閨秀作家曼殊斐爾的小說，有丹農雪烏的死城，都是多少帶有貴族性的東西。徐志摩對於西洋文學之接受，自然是由於他的強烈的主觀出發的了。

具有如上的生活環境的徐志摩是極端地肯定着他的理想主義。他不住地要求着自我實現。他的創作是自我實現，他的翻譯，也是自我實現。他有着單純的信心，在他認為「單純的信心是創作的泉源。」（海灘上種花。）他的理想主義是不住地在更新着。在飛上前去裏，他說：「我相信真的理想主義者是受得住眼看他往常保持着的理想萎成灰，碎成斷片，爛成泥，在這灰這斷片這泥的底裏他再來發現他更偉大更光明的理想。我就是這樣的一個。」詩人的一生，是「冒險——痛苦——失敗——失望」的動變，是「認識——實現——圓滿」的過程。然而在一生中，他什麼都未有完成。他的一切的完成，可以說全是散葉子的零碎札記。他的思想，當然也是同樣。在落葉裏，他說：「我的思想——如其我有思想——永遠不是成系統的。我沒有那樣的天才。我的心靈的活動是衝動性的，簡直可以說是痙攣性的。」衝動性痙攣性的，是他的思想，他的為人是非常好動的。在自剖裏，他說：「我是個好動的人：每回我身體行動的時候，我的思想也彷彿跟着動盪。」他歡喜飛機，他歡喜自轉車，他歡喜旅行，他歡喜雲遊。在想飛中，他說：「人類最大的使命，是製造翅膀；最大的成功是飛！理想的極度，想像的止境，從人到神！詩是翅膀上出世的；哲理是在空中盤旋的。飛：超脫一切，籠蓋一切，掃蕩一切，吞吐一切。」從人到神，這一種超人哲學，是一種尼采主義。他在弔劉叔和裏邊說：「他彷彿跟着查拉圖斯脫拉登了哲理的山峯。」使他不住的喊出 everlasting yea 的，也是這種尼采主義。尼采說「受苦的人沒有悲觀的權利。」此語在徐志摩的身上，是有很大的反抗作用的。

從康橋回到中國，那是民國十一年。「五四」運動已經低潮。中國仍是半殖民地。這裏沒有康橋，沒有英國那樣的貴族社會。戰後，帝國主義之變本加厲地向中國進攻，使中國越發呈出紊亂的狀態。那一種紊亂的環境，是詩人徐志摩所不忍目睹，所不能安居的。他的理想主義的浪漫主義碰了壁。然而他不能正確地說明此路不通的原故。他不把主要的原因歸之於洋大人，而認為是民族的墮落，是民族的倒運，是民族的破產。從落葉以至於秋這種思想是一貫着的。我們民族是破了產的，道德、政治、社會、宗教、文藝、一切都是破產了的。其原因呢？於是乎他說了：「不要以為這樣混沌的現象是原因於經濟的不平等，或是政治的不安定，或是少數人的放肆的野心。」「我們的自身是我們的運命的原因。」（落葉。）他又說：「我認識我自己力量的止境，但我卻不能制止我看了這時候國內思想界萎癟現象的憤懣與羞惡。」（迎上前去）他悲憤仁義禮智信成為了五具殘缺的屍體。（毒藥）他悲憤地又說：「儒教的珍品——恥節——到哪裏去了。」（從小說講到大事）他怎麼看我們的民族呢？在求醫中，他說：「我們這倒運的民族眼下只有兩種人可分，一種是在死的邊沿過活的，又一種簡直是在死面過活的。」對着這種「普遍死化的凶潮，」對着這種「人道的幽微的悲切的音樂，」他閉上了眼睛，他發現了另一個悲慘世界，在那裏，他的感情、思想、意志、經驗、理想，沒有一樣是和諧的，沒有一樣是容許他安舒的。他發現了「實際的生活逼得越緊，理想的生活宕得越空。」（求醫）現實的生活與理想的生活之矛盾所生出來的失望沒有使他絕望，反之，却使他對於自己更加強烈地，更加精細地去做解剖的工作。然而，他不求援於科學，他說：「科學我是不懂的。」（追上前去）寧可以說，他是否定科學的。在落葉裏，他說：「我們決不可以為單憑科學的進步就能看破宇宙結構的秘密。」而在論自殺中，他又說：「在我們一班信仰（你可以說迷信）精神，精神生命的癡人，在我們還有土可守的日子，決不能讓實利主義的重量完全壓倒人的靈性的表現，更不能容忍某時代迷信（在中世是宗教，現代是科學）的黑影完全淹沒了宇宙間不變的價值。」他相信靈性。他說：「單有軀殼的生命沒有靈性，生活是莫大的悲慘。」（海灘上種花）他愛大自然，因為大自然有靈性。康橋有康橋的靈性，翡冷翠山中，也有牠的靈性。「自然是最偉大的一部書。」（翡冷翠山居閒話）牠給你以「靈性的迷醉。」由於同中國社會之矛盾，他感到：「實際生活的牽掣可以劫去我們性靈所需要的閒暇，積成一種壓迫。」（自剖）然而，對於生活的壓迫，他不感絕望。他要「迎上前去。」在再剖裏，他說：「我寧言我自己跳進了這現實的世界，存心想來對準人生的面目認他一個仔細。」他不斷地作他的「靈魂的冒險，」「要在這忽忽變動的聲色的世界裏，贖出幾個永久不變的原則的憑證來。」（海灘上種花。）可是，他的玄學的追求，是終沒有完成的答案，喲！在自剖，再剖之後，他思想上起了轉變。他背起了他的十字架，由盲衝轉變到有意識的行動，從對於社會之不調和不承認的態度，轉變到「迎上前去。」在迎上前去裏，他肯定地說：「是的，我從今要迎上前去！生命第一個消息是活動，第二個消息是搏鬬，第三個消息是決定；思想也是的，活動的下文就是搏鬬。」他的「赤子之心，」他的「單純的信心，」使他積極地作他所謂的「理想中的革命。」

單純的信仰給了他勇敢。單純的理想給了他力量。他的靈性的勇敢使他崇拜拜輪，說出來「他是一個美麗的惡魔，一個光榮的叛兒。」（拜輪。）他崇拜耶蘇、托爾斯泰、哥德、密爾頓、悲特文、密其郎及羅、文天祥、黃梨洲等等的人物。他崇拜他們，是因為他們有不可動搖的 simple faith。是因為他們的思想是單純的——宗教家為善的原則犧牲，科學為真的原則犧牲，藝術家為美的原則犧牲——這一切犧牲的結果使是我們現有的有限的文化。」（海灘上種花。）是因為黃梨洲、文天祥在非常的時候，「為他們的民族爭人格，爭人之所以為人。他的「理想中的革命」的要求，使他在落葉裏讚美俄國革命，讚美俄國國旗說：「那紅色是一個偉大的象徵，代表人類史裏最偉大的一個時期；不僅標示俄國民族流血的成績，却也為人類立下了一個勇敢嘗試的榜樣，」使他在同篇中更讚美法蘭西的大革命，說：「巴士梯亞是代表阻礙自由的勢力，巴黎市民的攻擊是代表全人類爭自由的勢力，巴士梯亞的『下』是人類理想勝利的憑證。」在自剖裏，他又說：「那一個民族的解放史能不濃濃的染着 Martyrs 的腔血？俄國革命的開幕，就是二十年前冬宮的血景。只要我們有識力認定，有胆量實行，我們的理想中的革命，這回羔羊的血就不會是白費的。」可是流血的事情，是他所不喜歡的。詩人徐志摩的革命的要求，只是在於爭「靈魂的自由。」而且，他的理想政治是英國的政治，是希臘的政治。他所理想的革命，是不流血的革命，在政治生活與王家三阿㛮之中，他說：「英國人是『自由』的，但不是激烈的，是保守的，但不是頑固的。自由與　守並不是衝突的，這是造成他們政治生活的兩個原則；唯其是自由而不是激烈，所以歷史上並沒有大流血的痕跡，（如大陸諸國，）而卻有革命的實在，唯其是保守而不是頑固，所以避則『不為天下先』，而卻沒有化石性的殭。」然而，英國對於殖民地的剝削與壓迫，希臘的奴隸社會，他一概不提。愛和平是他的天性。因之，對於羅曼羅蘭，他表示出來深摯的共鳴。羅蘭的空想的英雄主義，他認為是一種最高的理想。他以為羅蘭是勇敢的人道的戰士，是同托爾斯泰、杜斯退益夫斯基、泰戈爾、甘地同樣，立脚於高高的山嶺上，俯瞰着人間社會。「打破我執的偏見來認識精神的統一；打破國界的偏見認識人道的統一。這是羅蘭與他同理想者的教訓。解脫怨毒的束縛來實現思想的自由；反抗時代的壓迫來恢復靈性的尊嚴。這是羅蘭與他同理想者的教訓。」（羅曼羅蘭。）尼采所說的「受苦的人沒有悲觀的權利」那句話，是他的座右銘，「在苦痛中領會人生的實際，」「在痛苦中，實現生命實現藝術，實現宗教，實現一切的奧義」之這種人道的英雄主義，也在此地成為了他的理想了。遊了莫斯科，對於革命後之俄國社會表示不滿，接着，他就自命為羅蘭的同理想者了。在弔劉叔和文中，他認為「五卅」前後的中國國內情形是一幅大西洋的天變，而難得的是少數共患難的旅伴。因之，在大的社會中，詩人徐志摩是感到孤獨的。詩人徐志摩所要求的，是反抗現代的墮落與物質主義的革命運動，是心靈解放的革命。他的這種要求，是從他那有士大夫性的個人主義出發的。到最後，在秋裏，他悲嘆士民階級之沒落，而結論到「我們現在為救這文化的性命，非得趕快就有健全的活力來補充我們受足了文明的毒的讀書階級不可。」在話裏，他說，「真偉大的消息都蘊伏在萬事萬物的本體裏，要聽真值得一聽的話，只有請教兩位最偉大的先生。……就是生活本體與大自然。」在秋裏，他仍然貫徹着這種思想。他依然是主張把過度文明的人種帶回到生命的本源上。他主張人多接近自然。一方來補充開鑿過多分的士民階級，一方極力把教育的機會推廣到健全的農民階級裏。打破階級界限及省分界限，獎勵階級間的通婚。不過這一種理想，是不是可以實現的呢？這種對於士民和農民的關心，是表明着詩人徐志摩的 impla faith 之所由來了。

雖然詩人徐志摩要求着「一種要新發現的國魂，」可是，那是從他的個人出發的。他，在列寧忌日——談革命裏說：「我是一個不可教訓的個人主義者。這并不高深，這只是說我只知道個人，只認得清個人，只信得過個人。我相信德謨克拉西只是普遍的個人主義；在各個人自覺的意識與自覺的努力中涵有真純的德謨克拉西的精神。」他崇拜列寧，說列甯有如耶穌的偉大，是崇拜個人，而不是主義。他認為「生命祇是個性的表現，」而是感情把一些個體的組織起來的。他是一個信仰感情的人。在落葉裏，他說：「人在社會裏本來是不相連繫的個體。感情，先天的與後天的，是一種線索，一種經緯，把原來分散的各體組織成有文章的整體。」徐志摩是一個感情性的人。他的一生，就是要實現「

生活是藝術」的主張。他的感情，使他在苦痛中在時代悲哀中實現他自己。他的感情的生產，就是他的詩歌。他忠實去創造新的人生準則。他在話裏說：「不能在我的生命裏實現人之所以為人，我對不起自己。在為人為的生活裏，不能實現我之所以為我。我對不起生命，這個原則我們也應該時時放在心裏。」感情性的詩人徐志摩，藉着詩歌實現了自己。在秋裏，詩人引過一個別的詩人的話說：「我們靠着活命的是情愛，敬仰，心希望」 (we live by love, admiration and hope) 情愛，敬仰，心希望，則是詩人在詩的創作中所靠着生活的了。

下

詩人徐志摩在他的短促一生中，遺留給我們四部詩集：志摩的詩，翡冷翠的一夜，猛虎集，雲遊；三部散文集：落葉，自剖，巴黎鱗爪，和一篇散文秋；以及一部小說集：輪盤與一篇戲曲：卞崑岡。其中成為作品的，只有詩和散文。但是，他的散文，更是詩的一個形式。他的散文，什九是散文詩。在其中一貫着的，是他的個人的感情。詩人徐志摩長於流露抒發自己的感情而拙於描寫社會生活。譬如輪盤中的春痕，只是形容詞的堆砌，而其主題，則是才子佳人式的戀愛。詩人徐志摩只是一個寄生生活者，他的境遇比較順，而又與生產無直接地關係。對於社會的現實，他不能把握。從社會生活中，他抽不出有意義的主題來。對於醜惡的現實的社會，他是迴避的，否定的。在迎上前去中，他說：「我敢擔保的只是我自己思想的忠實。」而那止於是主觀的忠實。他是一個信仰感情的人，他不懂科學。而抒情詩，抒情的散文是足以作他的感情的表現之工具而有餘。抒情詩，抒情的散文，是足以包容他的思想的，法國的博威（Ernest Bovet）把文字發達史分成為抒情、敘事、劇之三個階段。徐志摩恐怕算是其第一個階段上的人物了。

在我所知道的康橋哀詩人徐志摩說：「我這一生的周折，大都尋得出感情的線索。」詩人的創作活動之過程，也是有跡可尋的。語濟慈的夜鶯歌、海灘上種花諸篇，如果可以說是徐志摩的藝術論或者是詩學，那麼翡冷翠的一夜，和猛虎集中的兩篇序文，則是他的創作活動之自我批判，創作生活之回顧了。如果把這兩篇序文和自剖中之自剖、再剖、求醫、想飛、迎上前去諸篇詳細分析一下，我們很可以找出來他的創作活動的。徐志摩的創作活動可以分為四個時期。第一期是最早寫詩的那半年。猛虎集的序文告訴我們說：那一個時期他的感情真如山洪暴發，不分方向地亂冲，生命受了一種偉大的力量的震撼，什麼半成熟的未成熟的意念都在指顧間散作繽紛的花雨。可是那個時期的感情奔放的浪漫諦克的詩，據說雖然為量甚多，但幾乎都見不得人。所以我們也無從研究了。不過我們可以想像到在當時他是一匹狂暴的野馬。徐志摩的創作活動的第二個時期，是由志摩的詩所代表着的。那是他民國十一年回國後兩年間的作品。代表這個時期的散文，是落葉裏的大部分。落葉諸篇是充滿着浪漫諦克的自白，充滿着康橋時代的憧憬。在志摩的詩的裏邊，要據詩人自己說：「初期的洶湧性雖已消滅，但大部分還是感情的無關闌的泛濫，什麼詩的藝術與技巧都談不到。」（猛虎集序文。）不過，在我們看，這一個時期，雖然詩的藝術與技巧都談不到，然而其內容是比較充實的。志摩的詩作，是隨着形式之追求與完成而減少其內容的充實性的。在志摩的詩裏，我們是看得出浪漫主義的氣息，漸漸地，流為印象主義的氣息之傾向的。志摩的詩時代，也可以說是志摩的「五四」時代。徐志摩的創作活動的第三個時期，是由翡冷翠的一夜、自剖、巴黎鱗爪所代表着的。在這個期間，中國產生了「五卅」運動，徐志摩在其後，目睹了各種更為不滿的現象，在生活上起了很大的波折，在思想上起了一個大的轉變。在迎上前去裏，在翡冷翠的一夜的序文裏，他都肯定地重複出來他在詩篇總愛到底是什麼一回事所說的那兩句話：

我再不想成仙，蓬萊不是我的分；

我只要這地面，情願安分地做人。

這就是他所謂的「决心做人，决心做一點事情」的時代。理想主義碰了壁，他要求行動。他努力自剖。他要貫徹他的尼采主義。在這時期形式雖日趨工整，可是他失却了生產的力量了。因為他的理想主義同社會現實愈趨衝突了。在翡冷翠的一夜的序文中，他說：「我如其曾經有一星星詩的本能，這幾年都市生活早就把它壓死。這一年間我只淘成了一首詩，前途更是渺茫。……這一卷詩，大約是末一卷罷。」這一個期間，眞正地代表着他的情感的詩作，與其說是韻文詩，寧是那些散文詩：自剖和巴黎鱗爪中的諸篇。一方面追求定型律，一方面主觀的忠實使制作那些散文詩，這裏是不是有着一種矛盾呢這一個時期是徐志摩的創作活動之最高峯。最後，就是他的創作活動的第四期，也就是其沒落期。在那種廻光返照之中所產生出來的，就是猛虎集、雲遊和散文秋。毫不待言地，這幾個不同的時期是有着連繫的，其間存在着發展的線索的。

詩人徐志摩的思想是雜的，而他的作品也是雜的。他有稱王稱霸的雄心。他不只想做一個詩歌的作者，而且，他還想作一個詩歌的理論者。雖然他一無所完成，可是他作了各種的嘗試。他不只想作一個藝術家，而且，想作一個科學家。他所譯的那段達文睿的剪影，正是表示着他的這種多樣複雜的要。求徐志摩的一切翻譯，是反映着他自己的主觀，換言之，他的翻譯，也是他的自我實現。（生命的報酬、鷄鷹與芙蓉雀、達文睿的剪影、死城、渦提孩等。）他的翻譯，是同一般的手藝人的翻譯不同的。其中處處是反映着他的強烈的主觀的要求。達文睿的剪影，可以說是他的 self-justification 的宣言。基烏凡尼絕爾脫拉飛屋在日記裏記着：「窩沙里說梁那圖是一個最不了的落拓家。他寫下了有二十本關於自然科學的書，但沒有一本完全的，全是散葉子的零碎雜記。」又記着「什麼東西在旁人看來已經是盡善盡美的，在他看來通體都是錯。他要的是至高無上的，不可得的，人的力量永遠夠不到的。因此他的作品都沒有作完全的。」這好像是詩人徐志摩對於自己的批判。

詩人徐志摩不止是要求創作，而且更作原理的追求。如果我們要研究他的詩學的話，濟慈的夜鶯歌、海灘上種花、話諧篇，以及自剖與秋，都多少可以供給我們資料的。徐志摩的詩論，同樣地，全是散葉子的零碎雜記。在自剖裏，他告訴我們說：「我做的詩有不少是在行旅期中想起的。……是動，不論是什麽性質，就是我的興趣我的靈感。」在海灘上種花，他告訴我們說：「單純的信心是創作的泉源。」在話中，他說詩人們除了做夢再沒有正當的職業，眞的詩人夢境最深，神魂遠在祥雲縹渺之間，那時候隨意吐露出來字句斷片。在秋裏，他又說：「你們明知我是一個詩人，他的家當，除了幾座空中樓閣，至少是一顆熱烈的心。」這樣說來，志摩的詩歌，是在動的裏邊，一顆熱烈的心所想的幾座空中樓閣了。那是眞純的個性之表現。是自由的靈魂的翔翱之反映。他所反映的生命現象之不可思議，是大自然之奧妙。詩心如一種神往。徐志摩對於詩歌的見解，是深具着神秘主義的色彩了。詩人徐志摩，對於詩歌，是一個星象學者，一個點金術者，一個預言者的態度。可是，現在的世界已不是玄學的時代了。而特別是現在中國又呈了紊亂的局面。整理這種局面，玄學又是無力。現實的社會狀態，使詩人志摩找不出詩的營養來了。於是，在秋裏，他又說：「跟着這種種症候還有一個驚心的現象，是一般創作活動的消沉，這也是當然的結果。因為文藝創作活動的條件是和平有秩序的社會狀態，常態的生活，以及理想主義的根據。我們現在却只有混亂，變態，以及精神生活的破產。」由此可以看得出徐志摩的詩作生活之幻滅，是由於玄學世界之幻滅了。

在詩人徐志摩的創作生活中，由志摩的詩和落葉所代表的時期，可以稱之為「浪漫期。」在這一個時期，他的詩歌所表現的，有戀愛、自然。社會諸動機。這一個期間，他是一個「朝山人。」面對着冥盲的前程，無有止境地，奔那遠在白雲環拱處的山嶺，沒有止息地望着他那最理想的高峯。然而他是有酬勞的。因為他感到那最理想的高峯，已湧現在當前，蓮苞似的玲瓏，在藍天裏，在月華中，穠豔崇高。（無題）他從各處找他的象徵，在各個的象徵，他求他的自我實現。他樂觀着，他的情感奔放着，在雪花的快樂中，他說：「這地面上有我的方向。」在這是一個懦怯的世界中，他要逃出了現實的世界的牢籠，恢復他的自由，他歌唱：

跟着我來，
我的戀愛！
人間已經掉落在我們的後背，——
看呀，這不是白茫茫的大海？
白茫茫的大海，
白茫茫的大海，
無邊的自由，我與你與戀愛。

——這是一個懦怯的世界。

他自命是一個超人。在去罷裏邊，他說：

去罷，人間，去罷，

我獨立在高山的峯上；
去罷，人間，去罷，
我面對着無極的穹蒼。
——去罷。

他愛天上的明星、（我有一個戀愛。）為要尋一個明星，他衝入了黑綿綿的昏夜，他衝入黑茫茫的荒野（為要尋一個明星。）他追求戀愛，他所求的戀愛是 platonique 的。（雪花的快樂。）他尋求天國的消息在稚子的歡迎聲裏想見了天國（天國的消息。）他傾聽鄉村裏的聲籟，又一度與童年的情景默契（鄉村裏的音籟。）然而，他對於戀愛感到憂鬱，對於農村感到沒落了。在沙揚娜拉中，他歌唱：

最是那一低頭的溫柔，
像一朵水蓮花不勝涼風的嬌羞，
道一聲珍重，道一聲珍重，
那一聲珍重裏有甜蜜的憂愁！
沙揚娜拉！

沙揚娜拉一首。

而在鄉村裏的音籟裏，他歌唱：
　這是清脆的稚兒的呼喚，
　　田場上工作紛紜，
　　竹籬邊犬吠雞鳴，
　這是無端的悲感與悽惋。
　　　　　　　　　　　——鄉村裏的音籟。

詩人徐志摩之二重性，一方面使他獨立在半山的石上，而他方面，則使他感到胸中是一星微焰。（一星弱火。）在秋風落葉之中，他感到自己是一個「獨孤的夢魂」（夜半松風）。在這冰冷的世界裏，只有少數同情的心。（難得。）一方面，詩人在追求着無窮的無窮，（去罷，）而他方面他却感到他那蠶繭似不生產的生存之無有前途。（多謝天。）一方面，他感到有悠然的神明給他解了愛愁，重見宇宙間的歡欣，有了生命的重新的機兆，（多謝天，）而另一方面他又感到希望之不可靠了。在猛虎集的序文中，指着當時的情景，詩人徐志摩說：「一份深刻的憂鬱佔定了我，這憂鬱，我信，竟於漸漸地溶化了我的氣質。」這種憂鬱，自是詩人身上的二重性之矛盾所產出來的了。看見月下的雷峯塔影而起封建的幻夢，（月下雷峯影片。）看見田野的秋景而感到韶光催人老，（滬杭車中）看見悲傷的鄉村老婦而起人道主義的同情，是反映出來徐志摩的心理意識為如何了。在不再是我的乖乖中，他說

「前天我是一個小孩，」「昨天我是一個情種，」可是今天「暗潮侵蝕了砂字的痕跡，卻衝不淡我悲慘的顏色。」在石虎胡同七號裏，他告訴出來他們的小世界，他的小園庭：

我們的小園庭，有時蕩漾着無限的溫柔……

我們的小園庭，有時淡描着依稀的夢景……

我們的小園庭，有時輕喟着一聲奈何……

我們的小園庭，有時浸沉在快樂之中……

這令我們清楚地看出他的感情的二重性了。不能作向上的衝去，詩人是只有作他的封建的回顧。不能圓滿他的柏拉圖式的戀愛，他轉回頭去看農村的社會。於是他的吟誦自然的詩歌被產生出來。詩人徐志摩的吟誦自然的詩，令我想起渥茲渥斯來。從盧梭以來，好多人都跟着高唱着「歸到自然」可歸的方式，因為不同，盧梭要求平等的原始時代之復歸，而詩人徐志摩所要求的，則是未受資本主義侵凌的封建農村。詩人徐志摩的眼中只看得起士農，而對於工商是否定的。他那種補充士氏階級健全農民階級的主張，就是同他的自然的崇拜相一致的。詩人所吟誦的自然，是五老峯，是西湖的雷峯，是江南的小風景。他把它們理想化了，謳歌它的靈性。（五老峯月下雷峯影片。）在那種封建的自然中，他愛山寺、破廟、沒落的農民。雖然他不相信宗教，但是他歡喜宗教的神秘性，他到常州天寧寺去聽禮懺聲而領悟着涅槃之極樂。（常州天寧寺聞禮懺聲。）這種回顧農業社會的要求，使他眼看到從農村社會沒落下的人們：拉車夫，叫化等等，而且用他們所用的俗粗的語言——北京土話，硤石土白——寫他們的落難生活（先生先生，叫化活該，誰知道，蓋上幾張油紙，太平景象，一條金色的光痕。）而在一般的時候，他的詩，是充滿着香豔的詞句的。在這時代，他的感情的無闌闌的泛濫，雖然沒能使他採取廣汎的主題（他的好些詩裏，重複之點頗多，）可是使他把不同條件的類似的情感，用各種不同的形式包容起來。形式之變化，是志摩的詩之一個特色。有一些詩裏，他做了很好的感情的Montage。如在五老峯中，律動眞同大自然的起伏相一致，在天寧寺中，節奏眞是同鐘聲相同，極印象主義之完成。去罷諸作的律動眞表示他的超人的情緒。他更用散文詩式寫詩，我以為也許是他模仿查拉圖斯特拉的語錄。（毒藥、白旗、嬰兒、）這個時代，他的詩形雖未成格律，但還是很規整的。從浪漫主義的傾向到印象主義的唯美主義的、傾向之轉變，從比較自由的定型律，一方發展為嚴正的格律而他方發展為散文詩之轉變，是這個時期之一個特徵。在落葉（散文集）中，就發現了這種傾向。那篇講演落葉、話海灘上種花，以及青年運動，都是夾着詩的散文，其中抒洩出來分行抒情文字所不能寫出來的感情。這種散文詩化的傾向、一方面是表示着同社會實生活相接觸的結果，詩人的情感已不是短的抒情詩所能包容的，一方面，是表示着詩人理想主義的碰壁，不能產生出新的主題來。散文落葉、話青年運動，以及詩篇毒藥、白旗、嬰兒、灰色的人生、總愛到底是什麼一回事是代表着從這個浪漫時期到次一個時期的作品。在嬰兒裏，他說：

我們要盼望一個偉大的事實出現，我們要守候一個馨香的嬰兒出世。

在灰色的人生中，他歌唱道：

我只是狂喜地大踏步地向前——向前——口唱着暴烈的粗傖的，不成章的歌調；

來，我邀你們到海邊去，聽風濤震撼大空的聲調；

來，我邀你們到山中去，聽一柄利斧破伐老樹的清音；

來，我邀你們到密室裏去，聽殘廢的寂寞的靈魂的呻吟；

來，我邀你們到雲霄外去，聽古怪的大鳥孤獨的哀鳴；

來，我邀你們到民間去聽衰老的，苦痛的，貧苦的，殘毀的，受壓迫的，煩悶的，奴服的，懦怯的，醜陋的，罪惡的，自殺的——和着深秋的風聲與雨聲——合唱的「灰色的人生」。

由翡冷翠的一夜和自剖所代表的時期，可以名之為「自剖期。」這一個期間代表的作品，與其說是韻文詩寧是散文詩。在量上，散文詩的生產多了起來，而在質上，散文詩也更能較好地表現他的感情、思想和本性。在這一個時期中，他的韻文詩已失掉了強的感情，形式上的努力似乎多了些。但是形式之追求正反映着內容之日趨貧弱。詩集翡冷翠的一夜中的第一輯，都是些情詩。那些詩是很tame的。在愛的裏邊，詩人徐志摩尋求剎那的陶醉，他要丟開了這可厭的人生，實現死在愛裏，愛中心的死，是強過五百次的投生的。他以為，除了在愛人的心裏沒有生命，所以他說：「愛，你永遠是我頭頂的一顆明星。」（翡冷翠的一夜）We live by love admiration and hope，是詩人的理想他要在愛裏，讚美神奇的宇宙，流露他的清水似的詩句。（呻吟語）他要求「愛墻」中的自由。（造起一座墻。）他以爲愛是洗度靈魂的靈泉可洗掉他的肉和皮囊的腌臢。（再休怪我的陰沈）可是，一方，他要求在愛人的懷裏變成天神似的英雄，（天神似的英雄，）而他方，他則感到愛的凋謝與缺殘了。因爲生、愛、死、是三連環的啞謎。（決斷）在愛的陶醉中，他作死的陶醉。愛與不愛一詩，是足以表示他的矛盾的。他的心感到「冷酷的西風裏的褪色的凋零，而他的靈魂則說是「一樣鮮明」了。可是他的 platonique 的戀愛，是這個世界所不能實現的。這位乏力的朝山客只能在捲壓中沉默了。他的愛的幻滅是從該集的第二輯再不見雷峯裏反映出來。在運命的邏輯、兩地相思諸作，可以看見對於商品的女性的詛咒來了。而女人胸後掛着的一串不是珍珠，而是男子們的骷髏了。求理想的愛的人，要從愛中求得靈魂的人，也只是蘇蘇，只是渦提孩了。他愈感沒落。在大帥、人變獸、這年頭活着不易諸作中，他詛咒着紊淩，戰亂的社會。在西比利亞的道中，他想起盧山！石工生活苦，作了盧山石工歌，讚美他們的不頹喪的精神。他在盧山時感到石工之歌是痛苦人間的呼籲。可是他們的眞實生活的情形，以及吃苦的原因，他不曉得，也不想去曉得，他更不會管那是否同他的康橋有關係了。那止於是士大夫的同情心，他的著作的動機是與作叫化活該，先生先生！時同樣，不過，主觀上，積極地一些。他把石工看成爲美術品，如同在海灘上種花把英國壓迫下之印度野人看成藝術品一樣，然而，對舊社會的懷

總是越發深了。在西伯利亞道中他回憶西湖的藍色，（西伯利亞道中憶西湖秋雪庵蘆色作歌。）在
Exeter教堂前，他表露憑弔的悲哀。（在哀克刹脫教堂前。）志摩的詩中的月下雷峯影片，是被再不
見雷峯一詩所否定了。他熱愛雷峯在散文濟慈的夜鶯歌裏，他說：「在我們南方古蹟而兼是藝術品
的止淘成了西湖上一座孤單的雷峯塔，這千百年來雷峯塔的文學還不曾見面，雷峯塔的映影已經
永別了波心。」他說：

再不見雷峯，雷峯坍成了一座大荒塚……
再沒有雷峯，雷峯從此掩埋在人的記憶中……
——再不見雷峯。

這是證明詩人的心境了詩集翡冷翠的一夜中的作品，大部分已是半生不死的了。這個時代，為了解
自己，為說明自己的創作生活之貧困，他作自剖工作，用散文的形式抒發自己的感情。在自剖中之自
剖輯中，他給我們看他的真的情態的要求，自剖、再剖、求醫、想飛，以至迎上前去、北戴河海濱幻想諸作，
述明了他轉變的過程，他的「活動」「搏鬥」「決定」的要求。在翡冷翠山居閒話、吸烟與文化、我
所知的康橋、天目山中筆記，他描寫出他的自然崇拜的感情，他唯美地活躍地依自己的所感到的自
然的靈性流露出來。在拜倫（是一件很好的造形藝術品）和羅曼羅蘭（這是一篇很好的情熱的
詩，）他提出他的精神革命的理想。這一切散文是他的內心的象徵，其中，是情愛，是敬仰心，是希望其

中是他的思想，他的感情，他的本性。然而，對於社會認識之不足：他把宇宙只看神奇，把人生只看做嚴。他雖然用放翁的話「百無一用是書生」來嘆息自己，但是他對於社會的生活相仍是捉摸不到。在哀思錄中之五篇深摯的弔文，與其說是他對於死者之憑弔，寧是自己的抒情了。因爲在一切之中他是求自我實現的。他的東西，始終是反映着他的個人，始終是他的忠實的主觀的產物、這一個自剖期中的作品是令我們清晰地看出了他的全部的人格來。而散文集兩部自剖、巴黎麟爪（其中的譯品都包含在內）是最 personnel 的東西了。

由猛虎集與雲遊和一篇講演秋所代表的期間，我們可以謂之爲「雲遊期。」在這「雲遊期」中，他要求着「雲遊。」在這個時期，雖然他還喊着 everlasting yea，可是他的理想主義是越發地碰壁了。雖然一時，如廻光返照似地產了一些詩，可是，他創作的源泉枯乾了。在猛虎集的序文裏他說：「最近這幾年生活不僅是極平凡，簡直是到了枯窘的深處。」跟着詩的產量也盡「向瘦小處耗。」雖然他眞地希望一個復活的機會，可是寫下的詩句，總是「破破爛爛」的。那只是他的「一點性靈還在那裏掙扎，還有它的一口氣」的表現罷了。就是在落葉的續編，散文秋中的 everlasting yea，已同落葉不同，沒有以前那樣的積極性了。在初年的散文青年運動中，他引了福士德諤士（青年運動領袖之一）的一句話：「西方文明的墜落只有一法可以挽救，就在纔起的時代產生新的精神的與生命的努力，」可是，在秋裏，他所想的救濟辦法恐怕他自己都行不通。可是，叫他娶一個農女恐怕是做不到，他一定會說她沒有靈性。雖然他以為他所處的環境是暫時的沉悶，要「迎上前去，」可是他的詩作給我露出了虛無主義的消息了。在春的投生中，他說：「春投生入殘冬的屍體。」他已不唱「我獨立在高山的峯上」而注意到「在雪地裏掙扎的小花」（拜獻）了。他在渺小中，說「陽光描出我的渺小，」在闊的海中，他說「望着西天邊不死的一條綫，一點光，一分鐘」雖然他還讚兒童（他眼裏有你，車上）在心中有理想的農村，可是戀愛幻滅了，在再別康橋中，是表示着如何地空虛的實感哟：

悄悄地我走了，
　正如我悄悄地來，
我揮一揮衣袖，
　不帶走一片雲彩。
　　　　——再別康橋。

在秋蟲中，他痛恨他所痛恨的幾種主義說：「思想被主義姦污得很」他歌唱道：

　秋蟲，你為什麼來人間？
早不是舊時候的清閑；
這青草，這白露，也是獃；

再也沒有用，這些詩材！
黃金才是人們的新寵，
他佔了白天，又霸佔夢！

——秋蟲。

在西窗裏，他同樣地，詛罵他所不滿意的一切。被「露水潤了枯芽」的他，感到是殘破（殘破，）是殘春（殘春）了。在枉然裏，他咒詛女性，在一塊暸色的路碑裏，他叫人憑弔「遭冤曲的最純潔的靈魂。」在山中他想「攀附月色化一陣清風，」在兩個月亮裏，他憧憬着那樣把他的「靈波向高處提，」「永不殘缺」的「一輪完美的明月。」他的要求到了清風明月之間了。對於人生他更感醜惡與黑暗，（生活）在活該裏，他感到「熱情已變死灰。」他又說：

不論你夢有多麽圓，
周圍是黑暗沒有邊。

——活該。

殘破一首可以同再別康橋成為姊妹篇，在那裏他說：

我有的只是些殘破的呼吸，
如同封鎖在壁椽間的群鼠

追逐着，追求着黑暗與虛無。

——殘破。

他越發憎惡人世的醜惡，越發感到空虛了。（火車禽住軌，雁兒們）在這作長詩雲遊中，他說：

脫離了這世界，飄渺的，
不知到了那兒，彷彿有
一朵蓮花似的雲擁着我，
（她臉上浮着蓮花的笑）
擁着到遠極了的地方去……
唉，我真不希罕再回來，
人說解脫那許就是罷！

——雲遊。

長詩雲遊，是他的真摯的（Confession）家邊，實現着他的真摯的自我。他的一生的變遷，從裏而可以看得出來。他要求死，說死「是光明與自由的誕生」那是他的最後的詩作罷。那也許是預言者徐志摩的遺囑罷。在從猛虎集到雲遊之間的詩，在形式上是特別地純正了，內容方面只是「殘破的思潮」那是「黑暗與虛無」之追求了。

詩人是輕輕地悄悄地走了的。在這世界上，雖是遺留了些「散葉子上的零碎雜記，」然而也算他達到了他的「認識、實現圓滿。」他到那邊山頂上試去，可是他到底達到了那山峯上還是墜到萬丈的深淵了呢？他完成了「新月」詩派的全運命。他在雲遊裏說：

一年，又一年；再過一年，
新月望到圓，圓望到殘。

——雲遊。

「志摩感情之浮，使他不能為詩人，思想之雜，使他不能成為文人，」這是他引他朋友的話。可是他自己到說「我的一生的周折，大都尋得出感情的線索。」那麼他的「雲遊」是不是有他的 Simple faith 的感情的線索的呢？

（一九三四年五月廿三日至六月六日。）

追記：

在完稿後七天之今日，始在趙景深先生處看見了北新原版之「志摩的詩。」新月版是由作者刪過了的。因為根據新月版之故，也許失掉不少的好材料。同時由兩種各同的版本之差異所表示出來的作者之思想之變還未被估量，這不能不算我的一個過失，特此追記。

六月十二日夜

·徐志摩選集·三〇

·新月文學·

愛的靈感

——奉適之——

下面這些詩行好歹是他撩撥出來的，正如這十年來大多數的詩行好歹是他的撥出來的！

不妨事了，你先坐着罷，
這陣子可不輕，我當是
已經完了，已經登個的
脫離了這世界，飄渺的，
不知到了那兒，彷彿有
一朵蓮花似的雲擁着我，

（她臉上浮着蓮花似的笑）

擁着到遠極了的地方去⋯⋯

唉，我眞不希罕再回來，

人說解脫，那許就是罷！

我就像是一朵雲，一朵

純白的，純白的雲，一點

不見分量，陽光抱着我，

我就是光，輕靈的一球，

往遠處飛，往更遠的飛；

什麽累贅，一切的煩愁，

恩情，痛苦，怨，全都遠了，

就是你——請你給我口水，

是橙子吧，上口甜着哪——

就是你，你是我的誰呀！

就你也不知那裏去了：

就有也不過是曉光裏
一髮的青山，一縷遊絲，
一翳微妙的暈；說至多
也不過如此，你再要多
我那朵雲也不能承載，
你，你得原諒，我的冤家！
不礙我不累，你讓我說，
我只要你睜着眼，就這樣，
叫哀憐與同情，不說愛，
在你的淡水裏開着花，
我陶醉着它們的幽香；
在你我這最後，怕是吧，
一次的會面，許我放嬌，
容許我完全佔定了你，
就這一晌，讓你的熱情，

像陽光照着一流幽澗，
透澈我的淒冷的意識，
你手把住我的，正這樣，
你看你的壯健，我的衰，
容許我感受你的溫暖，
感受你在我血液裏流，
鼓動我將次停歇的心，
留下一個不死的印痕：
這是我唯一，唯一的祈求……
好我再喝一口，美極了，
多謝你。現在你聽我說。
但我說什麽呢，到今天，
一切事都已到了盡頭，
我祇等待死，等待黑暗，
我還能見到你，偎着你，

真像情人似的說着話，
因為我夠不上說那箇，
你的溫柔春風似的圍繞，
這於我是意外的幸福，
我只有感謝，（她合上眼。）
什麼話都是多餘，因為
話只能說明能說明的，
更深的意義，更大的真，
朋友，你只能在我的眼裏，
在枯乾的淚傷的眼裏
認取。

我是個平常的人，
我不能盼望在人海裏
值得你一轉眼的注意。
你是天風：每一個浪花

一定得感到你的力量，
從它的心裏激出變化，
每一根小草也一定得
在你的踪跡下低頭在
綠的顫動中表示驚異；
但誰能止限風的前程．
他橫掠過海，作一聲吼，
獅虎似的掃蕩着田野，
當前是冥茫的無窮，他
如何能想起曾經呼吸
到浪的一花，草的一莖？
遙遠是你我間的距離；
遠，太遠！假如一支夜蝶
有一天得能飛出天外，
在星的烈焰裏去變灰

徐志摩選集　六

（我常自己想）那我也許
有希望接近你的時間。
唉，癡心，女子是有癡心的，
你不能不信罷？有時候
我自己也覺得眞奇怪，
心窩裏的牢結是誰給
打上的？爲什麽打不開？
那一天我初次望到你，
你閃亮得如同一顆星，
我只是人叢中的一點，
一撮沙土，但一望到你，
我就感到異樣的震動，
搖發到我生命的全部，
眞像是風中的一朶花，
我內心搖晃得像昏暈，

臉上感到一陣的火燒，
我覺得幸福；一道神異的
光亮在我的眼前掃過，
我又覺得悲哀，我想哭，
紛亂佔據了我的靈府。
但我當時一點不明白，
不知這就是陷入了愛！
『陷入了愛，』真是的！前緣，
孽債，不知到底是什麼？
但從此我再沒有平安，
是中了毒，是受了催眠，
教運命的鐵鍊給鎖住，
我再不能踌躇：我愛你！
從此起，我的一瓣瓣的
思想都染着你；在醒時，

在夢裏，想躲也躲不去。
我抬頭望，藍天裏有你，
我開口唱，悠揚裏有你，
我要遺忘，我向遠處跑，
另走一道，又碰到了你！
枉然是理智的殷勤，因為
我不是盲目，我只是癡。
但我愛你，我不是自私。
愛你，但永不能接近你。
愛你，但從不要享受你。
即使你來到我的身邊，
我許向你望，但你不能
絲毫覺察到我的秘密。
我不妬忌，不艷羨，因為
我知道你永遠是我的，

它不能脫離我正如我
不能躲避你，別人的愛
我不知道．也無須知曉，
我的是我自己的造作，
正如那林蕓在無形中
收取早晚的霞光，我也
在無形中收取了你的。
我可以，我是準備，到死
不露一句，因為我不必。
死，我是早已望見了的。
那天愛的結打上我的
心頭，我就望見死，那個
美麗的永恆的世界；死，
我甘願的投向，因為它
是光明與自由的誕生。

・徐志摩選集・一〇

從此我輕視我的軀體，
更不計較今世的浮榮；
我祇企望着更綿延的
時間來收容我的呼吸，
燦爛的星做我的眼睛，
我的髮絲，那般的晶瑩，
是紛披在天外的雲霞，
博大的風在我的腋下
胸前眉宇間盤旋，波濤
冲洗我的脛踝，每一個
激盪湧出光艷的神明！
再有電火做我的思想，
天邊學起蛇龍的交舞，

雷震我的聲音，驀地裏

叫醒了春，叫醒了生命。
無可思量呵，無可比況，
這愛的靈感，愛的力量！
正如旭日的威稜掃蕩
田野的迷霧，愛的來臨
也不容平凡，卑瑣以及
一切的庸俗侵佔心靈，
它那原來青爽的平陽。
我不說死嗎？再不畏懼，
再沒有疑慮，再不吝惜
這軀體如同一個財虜，
我勇猛的用我的時光。
用我的時光，我說？天哪，
這多少年是虧我過的！
沒有朋友，離背了家鄉，

我投到那寂寞的荒城，
在茫農中間學做老農，
穿着大布，脚登着草鞋，
栽育的桑，栽白的木棉，
在天不曾放亮時起身，
手提着泥，頭戴着炎陽，
我做工，滿身侵透了汗，
一顆熱心抵擋着勞倦；
但漸次的我感到趣味，
收拾一把草如同珍寶，
在泥水裏照見我的臉，
塗着泥，在坦白的雲影
前不露一些羞愧！自然
是我的享受；我愛秋林，
我愛晚風的吹動，我愛

枯葦在晚涼中的顫動，
半殘的紅葉飄搖到地，
鴉影侵入斜日的光圈；
更可愛是遠寺的鐘聲
交挽村舍的炊烟共做
靜穆的黃昏！我做完工，
我慢步的歸去，冥茫中
有飛蟲在交誦，在天上
有星，我心中亦有光明！
到晚上我點上一支蠟、
在紅焰的搖曳中照出
板壁上唯一的畫像，
獨立在曠野裏的耶穌，
（因為我沒有你的，除了
懸在我心裏的那一幅，）

到夜深靜定時我下跪，
望著畫像做我的祈禱，
有時我也唱，低聲的唱，
發放我的熱烈的情懷
縷縷青烟似的上通到天。
但有誰聽到，有誰哀憐？
你騎坐在榮名的項顛、
有千萬人迎著你鼓掌，
我，陪伴我有冷，有黑夜，
我流著淚，獨跪在床前！
一年，又一年，再過一年，
新月望到團，團望到殘，
寒雁排成了字，又分散，
鮮艷長上我手栽的樹，
又叫一陣風給刮做灰。

我認識了季候，星月與
黑夜的神秘，太陽的威，
我認識了地土，它能把
一顆子培成美的神奇，
我也認識一切的生存，
爬虫，飛鳥，河邊的小草，
再有鄉人們的生趣，我
也認識，他們的單純與
眞，我都認識。

跟着認識
是愉快，是愛，再不畏處
孤寂的侵凌。那三年間
雖則我的肌膚變成粗，
焦黑薰上臉，劃拆刻上
手脚，我心頭祇有感謝：

因為照亮我的途徑有
愛，那盞神靈的燈，再有
勞苦給我精力，推著我
向前，使我怡然的承當
更大的勞苦，更多的險。
你奇怪吧，我有那能耐？
不可思量是愛的靈感！
我聽說古時間有一箇
孝女，她為救她的父親
但敢上犯君王的天威，
那是純愛的驅使我信。
我又聽說法國中古時
有一個鄉女子叫貞德，
她有一天忽然脫去了
她的村服，丟了她的羊，

穿上我裝拿着刀，帶領
十萬兵，高叫一聲「殺賊，」
就衝破了敵人的重圍，
救全了國，那也一定是
愛！因是祇有愛能給人
不可理解的英勇和膽，
祇有愛能使人睜開眼，
認識真，認識價值，祇有
愛能使人全神的奮發，
向前闖，為了一箇目標，
忘了火是能燒，水能淹。
正如沒有光熱這地上
就沒有生命，要不是愛，
那精神的光熱的根源，
一切光明的驚人的事

也就不能有。
　　阿我懂得！
我說「我懂得」我不慚愧：
因為天知道我這幾年，
獨自一個柔弱的女子，
投身到災荒的地域去，
走千百里嶮峭的路程，
自身挨着餓凍的慘酷
以及一切不可名狀的
苦處說來夠寫幾部書，
是為了什麼？為了什麼
我把每一個老年災民
不問他是老人是老婦，
當作生身父母一樣看，
每一個兒女當作自身

骨血，即使不能給他們
救度，至少也要吹幾口
同情的熱氣到他們的
臉上，叫他們從我的手
感到一個完全在愛的
純淨中生活着的同類？
為了什麼我甘願餔啜
在平時乞丐都不屑的
飲食，吞咽腐朽與骯髒
如同可口的膏粱；甘願
在屍體的惡臭能醉倒
人的村落裏工作如同
發見了什麼珍異？為了
什麼？就為「我懂得」朋友，
你信不？我不說，也不能

說，因為我心裏有一箇
不可能的愛所以發放
滿懷的熱到另一方向，
也許我即使不知愛也
能同樣做誰知道，但我
總得感謝你，因為從你
我獲得生命的意識和
在我內心光亮的點上；
又從意識的沈滑引渡
到一種靈界的瑩澈，又
從此產生智慧的微芒
致無窮盡的精神的勇。
啊：假如你能想像我在
災地時一個夜的看守！
一樣的天，一樣的星空，

我獨自在曠野裏或在
橋梁邊或在賸有幾縷
殘花的藤蔓的村籬邊
仰望，那時天際每一個
光亮都為我生着意義，
我飲咽它們的美如同
音樂，奇妙的韻味通流
到內藏與百骸，坦然的
我承受這天賜不覺得
虛怯與羞慚，因我知道
不為己的勞作雖不免
疲乏體膚，但它能拂拭
我們的靈竅如同琉璃，
利便天光無礙的通行。

我話說遠了不是？但我
已然訴說到我最後的
回目，你縱使疲倦也得
聽到底，因為別的機會
再不會來。你看我的臉
燒紅得如同石榴的花；
這是生命最後的光焰，
多謝你不時的把甜水，
浸潤我的咽喉，要不然
我一定早叫喘息窒死。
你的「懂得」是我的快樂。
我的時刻是可數的了，
我不能不趕快！

我方才
說過我怎樣學農，怎樣

到災荒的魔窟中去伸
一支柔弱的奮鬥的手，
我也說過我靈的安樂
對滿天星斗不生內疚。
但我終究是人是軟弱，
不久我的身體得了病，
風雨的毒浸入了纖微，
釀成了猖狂的熱。我哥
將我從昏盲中帶回家，
我奇怪那一次還不死，
也許因為還有一種罪
我必得在人間受。他們
叫我嫁人，我不能推托。
我或許要反抗假如我
對你的愛是次一等的，

但因我的既不是時空
所能衡量，我即不計較
分秒間的短長，我做了
新娘，我還做了娘，雖則
天不許我的骨血存留。
這幾年來我是個木偶，
一堆任憑擺佈的泥土；
雖則有時也想到你，但
這想到是正如我想到
西天的明霞或一朵花，
不更少也不更多。同時
病，一再的回復，銷蝕了
我的軀殼，我早準備死，
懷抱一個美麗的秘密，
將永恆的光明交付給

無涯的幽冥。我如果有
一個母親我也許不忍
不讓她知道，但她早已
死去，我更沒有沾戀；我
每次想到這一點使忍
不住微笑漾上了口角。
我想我死去再將我的
秘密化成仁慈的風雨；
化成指點希望的長虹，
化成石上的苔蘚，葱翠
淹沒它們的冥頑化成
黑暗中翅膀的舞：化成
晨時的鳥歌；化成水面
錦繡的文章；化成波濤；
永遠宣揚宇宙的靈通；

化成月的慘綠在每個
騃孩的夢上添深顏色；
化成系星間的妙綵：
最後的轉變是未料的；
天我不遂理想的心願，
又叫在熱譫中漏泄了
我的懷內的珠光！但我
再也不夢想你竟能來，我
血肉的你與血肉的我
竟能在我臨去的俄頃
陶然的相偎倚，我說，你
聽，你聽，我說。眞是奇怪，
這人生的聚散！

　　　現在我
眞，眞可以死了，我要你

這樣抱着我直到我去，
直到我的眼再不睜開，
直到我飛，飛，飛去太空，
散成沙，散成光，散成風，
啊苦痛，但苦痛是短的，
是暫時的；快樂是長的；
愛是不死的：
我，我要睡……

十二月二十五日晚六時完成

·徐志摩選集·二八

別撐我，疼

「別撐我，疼，」……
你說，微鎖着眉心。

那「疼，」一個精圓的半吐，
在舌尖上溜——轉。

一雙眼也在說話，
睛光裏漾起
心泉的祕密。

夢
洒開了
輕紗的網。

『你在那裏？』

『讓我們死，』你說。

在病中

我是在病中，這慵懶的倦卧，
看窗外雲天，聽木葉在風中……
是鳥語嗎？院中有陽光暖和，
一地的衰草，牆上爬着藤蘿，
有三五斑猩的，蒼的，在顫動。
一半天也成泥……

城外，啊西山！
太辜負了，今年，翠微的秋容！
那山中的明月，有響也有環：
黄昏時誰在聽白楊的哀怨？
誰在寒風裏賞歸鳥的羣喧？
有誰上山去漫步，靜悄悄的，
去落葉林中撿三兩瓣菩提？

有誰去佛殿上拔拂着塵封，
在夜色裏辨認金碧的神容？

這病中心情：一瞬瞬的回憶，
如同天空，在碧水潭中過路，
透映在水紋間斑駁的雲翳；
又如陰影，閃過虛白的牆隅，
瞥見時似有，轉眼又復消散；
又如縷縷炊煙，才嫋梟，又斷……
又如暮天裏不成字的寒雁，
飛遠，更遠，化入遠山，化作煙！
又如在暑夜看飛星，一道光
碧錄錄的抹過，更不許端詳。
又如蘭蕊的清芬偶爾飄過，
誰能留住這沒影蹤的婀娜？

又如遠寺的鐘聲，隨風吹送
在春宵，輕搖你半殘的春夢！

二十年五月續成七年前殘稿

雲遊

那天你翩翩的在空際雲遊，
自在，輕盈，你本不想停留
在天的那方或地的那角，
你的愉快是無攔阻的逍遙。
你更不經意在卑微的地面
有一流澗水，雖則你的明艷
在過路時點染了他的空靈，
使他驚醒，將你的倩影抱緊。

他抱緊的只是綿密的憂愁，
因為美不能在風光中靜止；
他要，你已飛度萬重的山頭，
去更闊大的湖海投射影子！

他在為你消瘦，那一流澗水，
在無能的盼望，盼望你飛回！

・以上選自雲遊・

兩地相思

一　他——

「今晚的月亮像她的眉毛，
　這彎彎的夠多俏！
今晚的天空像她的愛情，
　這藍藍的夠多深！
那樣多是你的，我聽她說，
　你再也不用疑惑；
給你這一團火，她的香脣，
　還有她更熱的腰身！
誰說做人不該多喫點苦？——
　喫到了底才有數。
這來可苦了她，盼死了我，
　半年不是容易過！

她這時候，我想，正靠著窗，
　手托著俊俏臉龐，
在想，一滴淚正掛在腮邊，
　像露珠沾上草尖：
在半憂愁半歡喜的預計，
　計算着我的歸期：
阿，一顆純潔的愛我的心，
　那樣的專！那樣的眞！
還不催快你踏下的柱口，
　趁月光清水似流，
趁月光清水似流，趕回家
　去親你唯一的她！

二　她——

今晚的月色又使我想起

我半年前的昏迷，
那晚我不該喝那三杯酒，
添了我一世的愁；
我不該把自由隨手給扔，——
活該我今兒的悶！
他待我倒真是一片至誠，
像竹園裏的新筍，
不怕風吹，不怕雨打，一樣
他還是往上滋長；
他為我喫盡了苦，就為我
他今天還在奔波；——
我又沒有勇氣對他明講
我改變了的心腸！
今晚月兒弓樣，到月圓時
我，我如何能躲避！

我怕，我愛，這來我真是難，
　恨不能往地底鑽：
可是你愛，永遠有我的心，
　聽憑我是浮是沈：
他來時要抱，我說讓他抱，
（這葫蘆不破的好，）
但每回我讓他親——我的唇，
　愛，親的是你的吻！

海韻

一

「女郎，單身的女郎，
你為什麼留戀
這黃昏的海邊？——
女郎，回家吧，女郎！」
「阿不；回家我不回，
我愛這晚風吹：」——
在沙灘上，在暮靄裏，
有一個散髮的女郎——
徘徊，徘徊，

二

「女郎，散髮的女郎，
你為什麼彷徨

在這冷清的海上？
女郎，回家吧，女郎！」
「阿不；你聽我唱歌，
大海，我唱，你來和：」——
在星光下，在涼風裏，
輕盪着少女的清音——
高吟低哦。

三

「女郎，胆大的女郎！
那天邊扯起了黑幕，
這頃刻間有惡風波，——
女郎，回家吧。女郎！」
「阿不；你看我凌空舞，
學一個海鷗沒海波：」——
在夜色裏，在沙灘上，

急旋着一個苗條的身影，——
婆娑，婆娑。

四

「聽呀，那大海的震怒，
女郎回家吧，女郎！
看呀，那猛獸似的海波，
女郎，回家吧，女郎！」
「阿不；海波他不來吞我，
我愛這大海的顛簸！」
在湖聲裏，在波光裏，
阿，一個慌張的少女在海沫裏，
蹉跎，蹉跎。

五

「女郎，在那裏，女郎？
在那裏，你嘹喨的歌聲，

在那裏，你窈窕的身影？
　在那裏，阿，勇敢的女郎？——
黑夜吞沒了星輝，
　這海邊再沒有光芒；
海潮沒了沙灘，
　沙灘上再不見女郎，——
　　再不見女郎！

在哀克剎脫教堂前（Exeter）

這是我自己的身影今晚間
　倒映在異鄉教宇的前庭，
一座冷峭峭森嚴的大殿，
一個峭陰陰孤聳的身影

我對着寺前的雕像發問：
「是誰負責這離奇的人生？」
老朽的雕像瞅着我發楞，
彷彿怪嫌這離奇的疑問。

我又轉問那冷鬱鬱的大星，
　它正升起在這教堂的後背，
但它答我以嘲諷似的迷瞬，

在星光下相對，我與我的迷謎！

這時間我身旁的那顆老樹，
他蔭蔽着戰蹟碑下的無辜，
幽幽的歎一聲長氣，像是
淒涼的空院裏淒涼的秋雨。

他至少有百餘年的經驗，
人間的變幻他什麽都見過；
生命的頑皮他也曾計數：
春夏間汹汹，冬季裏婆婆。

他認識這鎮上最老的前輩，
看他們受洗，長黃毛的嬰孩；
看他們配偶，也在這教門內，——

最後看他們的名字上墓碑！

這半悲慘的趣劇他早經看厭，
他自身癱瘓的殘餘更不沾戀；
因此他與我同心發一陣歎息——！
啊我身影邊平添了斑斑的落葉！

一九二五，七月。

大帥（戰歌之一）

（見日報，前敵戰士，隨死隨掩，
間有未死者，即被活埋。）

「大帥有命令以後打死了的屍體
再不用往回挪（叫人看了挫氣）
就在前邊兒挖一個大坑，
拏癟了的弟兄們往裏擲，
擲滿了給平上土，
給它一個大糊塗，
也不用給做記認，
管他是姓賈姓曾！
也好，省得他們家裏人見了傷心：
娘抱著個爛了的頭，
弟弟提溜着一支手，

新娶的媳婦到手個膿包的腰身！」
「我說這坑死人也不是沒有味兒，
有那西晒的太陽做我們的伴兒，
瞧我這一抄，抄住了老丙，
他大前天還跟我喫烙餅，
叫了壺大白乾，
咱們倆隨便談
你知道他那神氣，
一隻眼老是這擠：
誰想他來不到三天就做了炮灰，
老丙他打仗倒是勇，
你瞧他身上的窟窿！——
去你的，老丙，咱們來就是當死屍！

‧徐志摩選集‧四八

「天快黑了，怎麽好，還有這一大堆？
聽炮聲；這半天又該是我們的毀！
麻俐點兒，我說你瞧，三哥，
那黑剌剌的可不又是一個！
嘿，三哥，有沒有死的，
還閒着眼流著淚哩！
我說三哥這怎麽來，
總不能爭人活著哩！」——
「吁，老五，別言語，聽大帥的話沒有錯：
見個兒就給鏟，
見個兒就給埋；
躲開，瞧我的；歐，去你的，誰跟你囉嗦！」

半夜深巷琵琶

又被它從睡夢中驚醒，深夜裏的琵琶！
　是誰的悲思，
　是誰的手指，
像一陣淒風，像一陣慘雨，像一陣落花，
　在這夜深深時，
　在這睡昏昏時，
挑動著緊促的絃索，亂彈著宮商角徵，
　和著這深夜，荒街，
　柳梢頭有殘月掛，
啊，半輪的殘月，像是破碎的希望他，他
　頭戴一頂開花帽，
　身上帶着鐵鏈條，
在光陰的道上瘋了似的跳，瘋了似的笑，

完了，他說，吹糊你的燈，
她在墳墓的那一邊等，
等你去親吻，等你去親吻，等你去親吻！

我來揚子江邊買一把蓮蓬

我來揚子江邊買一把蓮蓬，
手剝一層層蓮衣，
看江鷗在眼前飛，
忍含着一眼悲淚——
我想着你，我想着你，阿小龍！

我嘗一嘗蓮瓤，回味曾經的溫存：——
那階前不捲的重簾，
掩護着同心的歡戀，
我又聽着你的盟言，
「永遠是你的，我的身體，我的靈魂」

我嘗一嘗蓮心，我的心比蓮心苦；

我長夜裏怔忡，
掙不開的惡夢，
　誰知我的痛苦？
你害了我，愛，這日子叫我如何過？

但我不能責你負，我不忍猜你變，
　我心腸只是一片柔：
　你是我的！我依舊
　將你緊緊的抱摟——
除非是天翻——但誰能相像那一天？

翡冷翠的一夜

你真的走了，明天？那我，那我，……
你也不用管，遲早有那一天；
你願意記着我，就記着我，
要不然趁早忘了這世界上
有我，省得想起時空着惱，
只當是一個夢，一個幻想；
只當是前天我們見的殘紅，
怯憐憐的在風前抖擻，一瓣，
兩瓣，落地，叫人踩，變泥……
唉，叫人踩，變泥——變了泥倒乾淨，
這半死不活的才叫是受罪，
看着寒傖，累贅，叫人白眼——
天呀！你何苦來，你何苦來……

我可忘不了你，那一天你來，
就比如黑暗的前途見了光彩，
你是我的先生，我愛，我的恩人，
你敎給我甚麼是生命，甚麼是愛，
你驚醒我的昏迷，償還我的天眞，
沒有你我那知道天是高，草是靑？
你摸摸我的心，它這下跳得多快；
再摸我的臉，燒得多焦，這夜黑
看不見；愛，我氣都喘不過來了，
別親我了；我受不住這烈火似的活，
這陣子我的靈魂就像是火磚上的
熱鐵，在愛的鎚子下，砸，砸，火花
四散的飛灑……我暈了，抱着我，
愛，就讓我在這兒清靜的園內，
閉着眼，死在你的胸前，多美！

頭頂白楊樹上的風聲，沙沙的，
算是我的喪歌，這一陣清風，
橄欖林裏吹來的，帶着石榴花香，
就帶了我的靈魂走，還有那螢火，
多情的殷勤的螢火，有他們照路，
我到了那三環洞的橋上再停步，
聽你在這兒抱着我半暖的身體，
悲聲的叫我，親我，搖我，咂我；……
我就微笑的再跟着清風走，
隨他領着我，天堂，地獄，那兒都成，
反正丟了這可厭的人生，實現這死
在愛裏，這愛中心的死，不強如
五百次的投生？……自私，我知道，
可我也管不着……你伴着我死？
什麼，不成雙就不是完全的「愛死，」

要飛昇也得兩對翅膀兒打夥：
進了天堂還不一樣的要照顧：
我少不了你，你也不能沒有我；
要是地獄，我單身去你更不放心，
你說地獄不定比這世界文明
（雖則我不信，）像我這嬌嫩的花朵，
難保不再遭風暴，不叫雨打，
那時候我喊你，你也聽不分明，——
那不是求解脫反投進了泥坑，
倒叫冷眼的鬼串通了冷心的人，
笑我的命運，笑你懦怯的粗心？
這話也有理，那叫我怎麼辦呢？
活着難，太難，就死也不得自由，
我又不願你為我犧牲你的前程……
唉！你說還是活着等，等那一天！

有那一天嗎？——你在，就是我的信心；
可是天亮你就得走，你真的忍心
丟了我走？我又不能留你，這是命；
但這花，沒陽光曬，沒甘露浸，
不死也不免瓣尖兒焦萎，多可憐！
你不能忘我。愛，除了在你的心裏，
我再沒有命；是，我聽你的話，我等，
等鐵樹兒開花我也得耐心等；
愛，你永遠是我頭頂的一顆明星；
要是不幸死了，我就變一個螢火，
在這園裏，挨著草根，暗沉沉的飛，
黃昏飛到半夜，半夜飛到天明，
只願天空不生雲，我望得見天，
天上那顆不變的大星，那是你，
但願你為我多放光明，隔着夜，

隔着天，通着戀愛的靈犀一點……

一

六月十一日，一九二五年翡冷翠山中

・以上選自翡冷翠的一夜・

常州天寧寺聞禮懺聲

有如在火一般可愛的陽光裏，偃臥在長梗的，雜亂的叢草裏，聽初夏第一聲的鷓鴣，從天邊直響入雲中，從雲中又迴響到天邊；

有如在月夜的沙漠裏，月光溫柔的手指，輕輕的撫摩着一顆顆熱傷了的砂礫，在鵝絨般軟滑的熱帶的空氣裏，聽一個駱駝的鈴聲，輕靈的，輕靈的，在遠處響着，近了，近了，又遠了……

有如在一個荒涼的山谷裏，大胆的黃昏星，獨自臨照着陽光死去了的宇宙，野草與野樹默默的祈禱着，聽一個瞎子，手扶着一個幼童，鐺的一響算命鑼，在這黑沉沉的世界裏回響着；

有如在大海裏的一塊礁石上，浪濤像猛虎般的狂撲着天空，緊緊的繃着黑雲的厚幕，聽大海向那威嚇着的風暴，低聲的，柔聲的，懺悔他一切的罪惡；

有如在喜馬拉雅的頂顛，聽天外的風，追趕着天外的雲的急步聲，在無數雪亮的山壑間迴響着；

有如在生命的舞台的幕背，聽空虛的笑聲，失望與痛苦的呼籲聲，殘殺與淫暴的狂歡聲，厭世與自殺的高歌聲，在生命的舞台上合奏着；

我聽着了天寧寺的禮懺聲！

這是那裏來的神明？人間再沒有這樣的境界！

這鼓一聲，鐘一聲，磬一聲木魚一聲，佛號一聲……樂音在大殿裏，迂緩的，曼長的廻盪着，無數衝突的
波流諧合了，無數相反的色彩淨化了，無數現世的高低消滅了……

這一聲佛號，一聲鐘，一聲鼓，一聲木魚，一聲磬，諧音盤礴在宇宙間——解開一小顆時間的埃塵，收來
了無量數世紀的因果；

這是那裏來的大和諧——星海裏的光彩，大千世界的音籟，眞生命的洪流：止息了一切的動，一切的
擾攘；

在天地的盡頭，在金漆的殿椽間，在佛像的眉宇間，在我的衣袖裏，在耳鬢邊，在官感裏，在心靈裏，在夢
裏……

在夢裏，這一瞥間的顯示，青天，白水，綠草，慈母溫軟的胸懷，是故鄉嗎？是故鄉嗎？

光明的翅羽，在無極中飛舞！

大圓覺底裏流出的歡喜，在偉大的，莊嚴的，寂滅的，無疆的，和諧的靜定中實現了！

頌美呀，涅槃，讚美呀，涅槃！

戀愛到底是什麽一回事

戀愛他到底是什麽一回事?——
他來的時候我還不曾出世;
太陽爲我照上了二十幾個年頭,
我只是個孩子,認不識半點愁;
忽然有一天——我又愛又恨那一天——
我心坎裏癢齊齊的有些不連牽,
那是我這輩子第一次的上當,
有人說是受傷——你摸摸我的胸膛——
他來的時候我還不曾出世,
戀愛他到底是什麽一回事?

這來我變了,一隻沒籠頭的馬,
跑遍了荒涼的人生的曠野;

又像是那古時間獻璞玉的楚人，
手捐着心窩說這裏面有真有真，
你不信時一刀拉破我的心頭肉，
看那血淋淋的一掬是玉不是玉；
血！那無情的宰割，我的靈魂！
是誰逼迫我發最後的疑問？

疑問！這回我自己幸喜我的夢醒，
上帝，我沒有病，再不來對你呻吟！
我再不想成仙，蓬萊不是我的分；
我只要這地面，情願安分的做人，——
從此再不問戀愛是什麼一回事，
反正他來的時候我還不曾出世！

一條金色的光痕（硤石土白）

得罪那，問聲點看，
我要來求見徐家格位太太，有點事體……
認眞則格位就是太太，眞是老太婆哩，
眼睛赤花，連太太都勿認得哩！
是歐，太太，今朝特爲打鄉下來歐，
爲靑靑就出門；田裏西北風度來野歐，是歐，
太太，爲點事體要來求求太太呀！
太太，我拉埭上，東橫頭，有個老阿太，
姓李，親丁末……老早死完哩，伊拉格大官官——
李三官，起先到街上來做長年歐，——早幾年
成了弱病，田末賣掉，病末始終勿曾好；
格位李家阿太老年格逆氣眞勿好，全靠
場頭上東幫幫，西討討，喫一口白飯，

每年只有一件絕薄歐棉襖靠過冬歐，
上個月聽得話李家阿太流火病發，
前夜子西北風起，我野凍得瑟瑟吽抖
我心裏想李家阿太勿曉得那介哩，
昨日子我一早走到伊屋裏，眞是罪過！
老阿太已經去哩，冷冰冰歐滾在稻草裏，
野勿曉得幾時脫氣歐，野嘸不人曉得！
我野嘸不法子，只好去喊攏幾個人來，
有人話是餓煞歐，有人話是凍煞歐，
我看一半是老病，西北風野作與有點歐；——
爲此我到街上來，善堂裏格位老爺
本里一具棺材，我乘便來求求太太，
做做好事，我曉得太太是頂善心歐，
頂好有舊衣裳本格件把，我還想去
買一刀錠箔；我自己屋裏野是滑白歐

我只有五升米燒頓飯本兩個幫忙歐喫，
伊拉抬了材，外加收作，飯總要喫一頓歐，
太太是勿是？……噯，是歐！噯，是歐！
喔唷，太太認真好來，真體卹我拉窮人……
格套衣裳正好……喔唷，害太太還要
難為洋鈿……喔唷，喔唷……我只得
朝太太磕一個響頭，代故世歐謝謝！
喔唷，那末真真多謝，真歐太太……

蓋上幾張油紙

一片，一片，半空裏
　掉下雪片；
有一個婦人，有一個婦人，
　獨坐在階沿。

虎虎的，虎虎的，風響
　在樹林間；
有一個婦人，有一個婦人，
　獨自在哽咽。

為什麼傷心，婦人，
　這大冷的雪天？
為什麼啼哭，莫非是

失掉了釵鈿？

不是的，先生，不是的，
　不是爲釵鈿；
也是的，也是的，我不見了
我的心戀。

那邊松林裏，山脚下，先生，
　有一隻小木匳，
裝着我的寶貝，我的心，
　三歲兒的嫩骨！

昨夜我夢見我的兒：
　叫一聲「」娘呀！——
天冷了，天冷了，天冷了，

兒的親娘呀！」

今天果然下大雪，屋檐前
　望得見冰條，
我在冷冰冰的被窩裏摸——
　摸我的寶寶。

方才我買來幾張油紙，
　蓋在兒的床上；
我喚不醒我熟睡的兒——
　我因此心傷。

一片，一片，半空裏
　掉下雪片；
有一個婦人，有一個婦人，

獨坐在階沿。

虎虎的，虎虎的，風響
在樹林間；
有一個婦人，有一個婦人，
獨自在哽咽。

殘詩

怨誰？怨誰？這不是青天裏打雷？
關着，鎖上；趕明兒瓷花磚上堆灰！
別瞧這白石台階兒光滑，趕明兒，唉，
石縫裏長草，石板上青青的全是莓！
那廊下的青玉缸裏養着魚，真鳳尾，
可還有誰給換水，誰給撈草，誰給餵？
要不了三五天準翻著白肚鼓著眼，
不浮著死，也就讓冰分兒壓一個扁！
頂可憐是那幾個紅嘴綠毛的鸚哥，
讓娘娘教得頂乖，會跟着洞簫唱歌，
真嬌養慣，喂食一遲，就叫人名兒罵，
現在，您叫去！就剩空院子給您答話！……

叫化活該

『行善的大姑，修好的爺，』
　西北風尖刀似的猛刺着他的臉，
『賞給我一點你們吃賸的油水吧！』
一團模糊的黑影，捱緊在大門邊。

『可憐我快餓死了，發財的爺，』
大門內有歡笑，有紅爐，有玉杯；
『可憐我快凍死了，有福的爺，』
大門外西北風笑說，『叫化活該！』

我也是戰栗的黑影一堆，
　蠕伏在人道的前街；
我也只要一些同情的溫暖，

遮掩我的剮殘的餘骸——

但這沈沈的緊閉的大門：誰來理睬，

街道上只冷風的嘲諷，「叫化活該！」

先生！先生！

鋼絲的車輪
在偏僻的小巷內飛奔——
『先生，我給先生請安您哪，先生。』

迎面一跱身
一個單布褂的女孩顫動着呼聲——
雪白的車輪在冰冷的北風裏飛奔。

緊緊的跟，緊緊的跟，
破爛的孩子追趕着鑠亮的車輪
『先生，可憐我一大化吧，善心的先生！』

『可憐我的媽，
她又餓又凍又病，躺在道兒邊直哼——
您修好，賞給我們一頓窩窩頭您哪，先生！』

『沒有帶子兒，』
坐車的先生說，車裏戴大皮帽的先生——
飛奔，急轉的雙輪，緊追，小孩的呼聲。

一路旋風似的土塵，
土塵裏飛轉着銀晃晃的車輪——
『先生，可是您出門不能不帶錢您哪，先生。』

『先生！……先生！』
紫漲的小孩，氣喘着斷續的呼聲——
飛奔飛奔，橡皮的車輪不住的飛奔。

飛奔……先生……
飛奔……先生……
先生……先生……先生……

石虎胡同七號

我們的小園庭，有時蕩漾着無限溫柔：
善笑的藤孃，袒酥懷任團團的柿掌綢繆、
百尺的槐翁，在纖風中俯身將棠姑抱摟，
黃狗在籬邊，守候睡熟的珀兒，他的小友，
小雀兒新製求婚的艷曲，在媚唱無休——
我們的小園庭，有時蕩漾着無限溫柔。

我們的小園庭，有時淡描着依稀的夢景；
雨過的蒼茫與滿庭蔭綠，織成無聲幽瞑，
小蛙獨坐在殘蘭的胸前，聽隔院蚓鳴，
一片化不盡的雨雲，倦展在老槐樹頂，
掠簷前作圓形的舞旋，是蝙蝠，還是蜻蜓？——
我們的小園庭，有時淡描着依稀的夢景。

我們的小園庭，有時輕喟着一聲奈何；
奈何在暴雨時，雨槌下搗爛鮮紅無數，
奈何在新秋時，未凋的青葉惆悵地辭樹，
奈何在深夜裏，月兒乘雲艇歸去，西牆已度，
遠巷薤露的樂音，一陣陣被冷風吹過——
我們的小園庭，有時輕喟着一聲奈何。

我們的小園庭，有時沉浸在快樂之中；
雨後的黃昏，滿院只美蔭：清香與涼風，
大量的蹇翁，巨樽在手，蹇足直指天空，
一斤，兩斤，杯底喝盡，滿懷酒歡，滿面酒紅，
連珠的笑響中，浮沉着神仙似的酒翁——
我們的小園庭，有時沉浸在快樂之中。

五老峯

不可搖撼的神奇，
　不容注視的威嚴，
這聳峙，這橫蟠，
　這不可攀援的峻險！
看！那巉巖缺處
　透露著天，窈遠的蒼天，
在無限廣博的懷抱間，
　這磅礴的偉象顯現！
是誰的意境，是誰的想像？
　是誰的工程與搏造的手痕？
在這亙古的空靈中
　陵慢著天風，天體與天氣！

有時朶朶明媚的彩雲，
　輕顫的粧綴著老人們的蒼鬢，
像一樹虬幹的古梅在月下，
　吐露了豔色鮮葩的清芬！

山麓前伐木的村童，
　在山澗的清流中洗濯呼歡，
認識老人們的嗔顰，
　迷霧海沫似的噴湧鋪罩，
淹沒了谷內的青林，
　隔絕了鄱陽的水色袅淼，
陡壁前閃亮著火電雖呀！
　五老們在渺茫的霧海外狂笑！

朝霞照他們的前胸，

晚霞戲逗著他們赤禿的頭顱；
黃昏時，聽異鳥的歡呼：
在他們鳩盤的肩旁怯怯的透露
不昧的星光與月彩：
柔波裏緩泛著的小艇與輕舸。
聽呀！在海會靜移的鐘聲裏，
有朝山人在落葉林中過路！

更無有人事的虛榮，
更無有塵世的倉促與噩夢，
靈魂！記取這從容與偉大，
在五老峯前飽啜自由的山風！
這不是山峯，這是古聖人的祈禱，
凝聚成這『凍樂』似的建築神工，
給人間一個不朽的憑證——

一個『崛強的疑問』在無極的藍空！

難得

難得，夜這般的清靜，
　難得，爐火這般的溫，
更是難得，無言的相對，
　一雙寂寞的靈魂！

也不必籌營，也不必評論，
　更沒有虛憍、猜忌與嫌憎，
只靜靜的坐對着一爐火，
　只靜靜的默數遠巷的更。

喝一口白水，朋友，
　滋潤你的乾裂的口脣；
你添上幾塊煤，朋友，

一爐的紅焰感念你的殷勤。
在冰冷的冬夜，朋友，
人們方始珍重難得的爐薪；
在這冰冷的世界，
方始凝結了少數同情的心！

滬杭車中

匆匆匆！催催催！
一捲煙，一片山，幾點雲影，
一道水，一條橋，一支櫓聲，
一林松，一叢竹，紅葉紛紛：

艷色的田野，艷色的秋景，
夢境似的分明，模糊，消隱，——
催催催！是車輪還是光陰？
催老了秋容，催老了人生！

月下雷峯影片

我送你一個雷峯塔影，
　滿天稠密的黑雲與白雲；
我送你一個雷峯塔頂，
　明月瀉影在眠熟的波心。
深深的黑夜，依依的塔影，
　團團的月彩，纖纖的波鱗——
假如你我蕩一支無遮的小艇，
　假如你我創一個完全的夢境！

我有一個戀愛

我有一個戀愛；——
我愛天上的明星；
我愛他們的晶瑩：
　人間沒有這異樣的神明，

在冷峭的暮冬的黃昏，
在寂寞的灰色的清晨。
在海上，在風雨後的山頂——
　永遠有一顆，萬顆的明星！

山澗邊小草花的知心，
高樓上小孩童的歡欣，
旅行人的燈亮與南針：——

萬萬里外閃鑠的精靈！

我有一個破碎的魂靈，
像一堆破碎的水晶，
散布在荒野的枯草裏——
　飽啜你一瞬瞬的殷勤。

人生的冰激與柔情，
我也曾嘗味，我也曾容忍；
有時階砌下蟋蟀的秋吟，
　引起我心傷，逼迫我淚零。

我袒露我的坦白的胸襟，
　獻愛與一天的明星；
任憑人生是幻是真，

地球存在或是消泯——
大空中永遠有不昧的明星！

不再是我的乖乖

（一）

前天我是一個小孩，
這海灘最是我的愛；
早起的太陽賽如火爐，
趁暖和我來做我的工夫：
檢滿一衣兜的貝殼，
在這海砂上起造宮闕；
哦，這浪頭來得凶惡，
衝了我得意的建築——
我喊一聲海，海！
你是我小孩兒的乖乖！

（二）

昨天我是一個「情種,」
到這海灘上來發瘋;
西天的晚霞慢慢的死,
血紅變成薑黃又變紫,
一顆星在半空裏窺伺,
我匐伏在砂堆裏畫字,
一個字,一個字又一個字,
誰說不是我心愛的遊戲?
我喊一聲海,海!
不許你有一點兒的更改!

(三)

今天!咳,為什麼要有今天?
不比從前,沒了我的瘋癲,
再沒有小孩時的新鮮,

這回再不來這大海的邊沿！
頭頂不見天光的方便，
海上只聞沈沈的一片，
時潮侵蝕了砂字的痕跡，
卻衝不淡我悲慘的顏色——
我喊一聲海，海！
你從此不再是我的乖乖！

為要尋一個明星

我騎著一匹拐腿的瞎馬，
　向著黑夜裏加鞭；——
　向著黑夜裏加鞭，
我跨著一匹拐腿的瞎馬！

我衝入這黑綿綿的昏夜，
　為要尋一顆明星；——
　為要尋一顆明星，
我衝入這黑茫茫的荒野。

累壞了，累壞了我跨下的牲口，
　那明星還不出現；
　那明星還不出現，

累壞了，累壞了馬鞍上的身手。

這回天上透出了水晶似的光明，

　荒野裏倒著一隻牲口，

　黑夜裏躺著一具屍首。～

這回天上透出了水晶似的光列！

一星弱火

我獨坐在半山的石上，
　看前峯的白雲蒸騰，
一隻不知名的小雀，
　嘲諷着我迷惘的神魂。

白雲一餅餅的飛昇，
　化入了遼遠的無垠；
但在我遙仄的心頭，啊，
　却凝斂著慘霧與愁雲！

皎潔的晨光已經透露，
　洗淨了青嶼似的前峯；
像荒墟間的燐光慘淡，

一星的微燄在我的胸中。

但這慘淡的弱火一星，
照射著殘骸與餘燼，
雖則是往跡的嘲諷，
卻綿綿的長隨時間進行！

去罷

去罷，人間，去罷！
　我獨立在高山的峯上；
去罷，人間，去罷！
　我面對着無極的穹蒼。
去罷，青年，去罷！
　與幽谷的香草同埋；
去罷，青年，去罷！
　悲哀付與暮天的寒鴉。
去罷，夢鄉，去罷！
　我把幻景的玉杯摔破；
去罷，夢鄉，去罷！

我笑受山風與海濤之賀。

去罷，種種，去罷！
當前有插天的高峯！
去罷，一切，去罷！
當前有無窮的無窮！

這是一個懦怯的世界

這是一個懦怯的世界：
　容不得戀愛，容不得戀愛！
披散你的滿頭髮，
赤露你的一雙腳；
　跟著我來，我的戀愛，
拋棄這個世界
殉我們的戀愛！
我拉著你的手，
愛，你跟著我走；
　聽憑荊棘把我們的腳心刺透，
　聽憑冰雹劈破我們的頭，
你跟著我走，
我拉著你的手，

逃出了牢籠，恢復我們的自由！

跟著我來，
我的戀愛！
人間已經掉落在我們的後背，——
看呀，這不是白茫茫的大海？
白茫茫的大海，
白茫茫的大海，
無邊的自由，我與你與戀愛！

順著我的指頭看，
那天邊一小星的藍——
那是一座島，島上有青草，
鮮花，美麗的走獸與飛鳥；
快上這輕快的小艇，

去到那理想的天庭——
戀愛，歡欣，自由——辭別了人間，永遠！

問誰

問誰？阿，這光陰的播弄
　問誰去聲訴，
在這淶沉沉的深夜，淒風
吹拂她的新墓？

「看守，你須用心的看守，
　這活潑的流谿，
莫錯過，在這清波裏優遊，
　青脖與紅鱗！」

那無聲的私語在我的耳邊
　似曾幽幽的吹噓，—
像秋霧裏的遠山半化煙，

　在曉風前卷舒。

因此我緊提著我生命的繩網，
　像一個守夜的漁翁，
兢兢的，注視著那無盡流的時光—
　私冀有彩鱗掀湧。

但如今，如今只餘這破爛的漁網——
　嘲諷我的希冀，
我喘息的悵望著不復逝的時光：
　淚依依的憔悴！

又何況在這黑夜裏徘徊：
　黑夜似的痛楚：
一個星芒下的黑影悽迷—

留連著一個新墓！
問誰……我不敢愴呼，怕驚擾
這墓底的清淳；
我俯身，我伸手向她摸撫——
阿，這半潮潤的新墳！
這慘人的曠野無有邊沿，
遠處有村火星星，
叢林中有鴟鴞在悍辯——
此地有傷心，隻影！
這黑夜，深沈的，環包著大地：
籠罩著你與我——
你，靜悽悽的安眠在墓底；

我，在迷醉裏摩挲！

詎願天光更不從東方
　挨時的泛濫：
我便永遠依偎著這墓旁—
　在沈寂裏消幻—

但青曦已在那天邊吐露，
　蘇醒的林鳥，
已在遠近間相應的喧呼—
　又是一度清曉。

不久，這嚴冬過去，東風
　又來催促青條：
使粧綴這冷落的墓宮，

亦不無花草飄颻。

但為你，我愛，如今永遠封禁
在這無情的地下——
我更不盼天光，更無有春信：
我的是無邊的黑夜！

落葉小唱

一陣聲響轉上了階沿
（我正挨近著夢鄉邊；）
這回準是她的脚步了，我想——
　在這深夜！

一聲剝啄在我的窗上；
（我正靠緊著睡鄉旁）
這準是她來鬧著玩——你看，
　我偏不張皇！

一個聲息貼近我的床，
我說（一半是睡夢，一半是迷惘：）——
「你總不能明白我，你又何苦

多叫我心傷！』

一聲喟息落在我的枕邊
（我已在夢鄉裏留戀；）
『我負了你』你說—你的熱淚
燙著我的臉！

這音響惱著我的夢魂
（落葉在庭前舞，一陣，又一陣；）
夢完了，呵，回復清醒；惱人的—
卻只是秋聲！

沙揚娜拉一首贈日本女郎

最是那一低頭的溫柔，
像一朵水蓮花不勝涼風的嬌羞，
道一聲珍重，道一聲珍重，
那一聲珍重裏有蜜甜的憂愁——
沙揚娜拉！

雪花的快樂

假如我是一朵雪花，
翩翩的在半空裏瀟洒，
　我一定認清我的方向——
　飛颺，飛颺，飛颺，——
這地面上有我的方向。

不去那冷寞的幽谷，
不去那淒清的山麓，
　也不上荒街去惆悵——
　飛颺，飛颺，飛颺，——
你看，我有我的方向！

在半空裏娟娟的飛舞，

認明了那清幽的住處，
等着她來花園裏探望——
飛颺，飛颺，飛颺，——
啊，她身上有硃砂梅的清香！
那時我憑藉我的身輕，
盈盈的，沾住了她的衣襟，
貼近她柔波似的心胸——
消溶，消溶，消溶——
溶入了她柔波似的心胸！

・以上選自志摩的詩・

巴黎的鱗爪

咳巴黎！到過巴黎的一定不會再希罕天堂；嘗過巴黎的，老實說，連地獄都不想去了。整個的巴黎就像是一床野鴨絨的墊褥，襯得你通體舒泰，硬骨頭都給薰酥了的——有時許太熱一些。那也不礙事，只要你受得住。讚美是多餘的，正如讚美天堂是多餘的；咒詛也是多餘的，正如咒詛地獄是多餘的。巴黎，軟綿綿的巴黎，只在你臨別的時候輕輕地囑咐一聲「別忘了，再來！」其實連這都是多餘的。誰不想再去？誰忘得了？

香草在你的腳下，春風在你的臉上，微笑在你的周遭。不拘束你，不責備你，不督飭你，不窘你，不惱你，不揉你。它摟着你，可不縛住你：是一條溫存的臂膀，不是根繩子。它不是不讓你跑，但它那招逗的指尖却永遠在你的記憶裏晃着。多輕盈的步履，羅襪的絲光隨時可以沾上你記憶的顏色！

但巴黎卻不是單調的喜劇。賽因河的柔波裏掩映着羅浮宮的倩影，它也收藏着不少失意人最後的呼吸。流着，溫馴的水波；流着，纏綿的恩怨。咖啡館：和着交頸的軟語，開懷的笑響，有踞坐在屋隅裏蓬頭少年計較自毀的哀思。跳舞場：和着翻飛的樂調，迷醇的酒香，有獨自支頤的少婦思量着往蹟的愴心。浮動在上一層的許是光明，是歡暢，是快樂，是甜蜜，是和諧；但沈澱在底裏陽光照不到的才是人事經驗的本質：說重一點是悲哀，說輕一點是惆悵：誰不願意永遠在輕快的流波裏漾着，可得留神了

你往深處去時的發見！

一天一個從「巴黎」來的朋友找我閒談，談起了勁，茶也沒喝，煙也沒吸，一直從黃昏談到天亮，才各自上床去躺了一歇，我一闔眼就回到了巴黎，方才朋友談的情境惝恍的把我自己也纏了進去這「巴黎」的夢真醇人，醇你的心，醇你的意志，醇你的四肢百體，那味兒除是親嘗過的誰能想像！——我醒過來時還是迷糊的忘了我在那兒，剛巧一個小朋友進房來站在我的床前笑吟吟的喊我『你做什麼夢來了，朋友，為什麼兩眼潮潮的像哭似的？』我伸手一摸，果然眼裏有水，不覺也失笑了——可是朝來的夢，一個詩人說的，同是這悲涼滋味，正不知這淚是為那一個夢流的呢！

下面寫下的不成文章，不是小說，不是寫實，也不是寫夢，——在我寫的人只當是隨口曲，南邊人說的「出門不認貨」，隨你們寬容的讀者們怎樣看罷。

出門人也不能太小心了，走道總得帶些探險的意味。生活的趣味大半就在不預期的發見，要是所有的明天全是今天刻板的化身，那我們活什麼來了？正如小孩子上山就得採花，到海邊就得檢貝殼，書獃子進圖書館想撈新智慧，——出門人到了巴黎就想……

你的批評也不能過分嚴正不是？少年老成——什麼話！老成是老年人的特權，也是他們的本分；

說來也不是他們甘願，他們是到了年紀不得不。少年人如何能老成？老成了才是怪哪！

放寬一點說，人生只是個機緣巧合；別瞧日常生活河水似的流得平順，它那裏面多的是潛流，多的是漩渦——輪着的時候誰躲得了給捲了進去？那就是你發愁的時候，是你登仙的時候，是你辨着酸的時候，是你嘗着甜的時候。

巴黎也不定比別的地方怎樣不同：不同就在那邊生活流波裏的潛流更猛，漩渦更急，因此你叫給捲進去的機會也就更多。

我趕快得聲明我是沒有叫巴黎的漩渦給淹了去——雖則也就夠險。多半的時候我只是站在賽因河岸邊看熱鬧，下水去的時候也不能說沒有，但至多也不過在靠岸清淺處溜着，從沒敢在深處跑——這來漩渦的紋螺，勢道，力量，可比遠在岸上時認清楚多了。

（一）九小時的萍水緣

我忘不了她。她是在人生的急流裏轉着的一張萍葉，我見着了它，掬在手裏把玩了一晌，依舊交還給它的命運，任它飄流去——它以前的飄泊我不曾見來，它以後的飄泊，我也見不着，但就這曾經相識匆匆的恩緣——實際上我與她相處不過九小時——已在我的心泥上印下蹤跡，我如何能忘，在憶起時如何能不感須臾的惆悵？

那天我坐在那熱鬧的飯店裏瞥眼看着她，她獨坐在燈光最闇淡的屋角裏，這屋內那一個男子不帶媚態，那一個女子的胭脂口上不沾笑容，就只她；穿一身淡素衣裳，戴一頂寬邊的黑帽，在嚮窗的睫毛上隱隱閃亮着深思的目光——我幾乎疑心她是修道院的女僧偶爾到紅塵裏隨喜來了。我不能不接着注意她，她的別樣的支頤的倦態，她的曼長的手指，她的落漠的神情：有意無意間的歎息，在在那激發我的好奇——雖則我那時左邊已經坐下了一個瘦的，右邊來了肥的，四條光滑的手臂不住的在我面前晃着酒杯。但更使我奇異的是她不等跳舞開始就匆匆的出去了，好像害怕或是厭惡似的。第一晚這樣，第二晚又是這樣：獨自默默的坐著，到時候又匆匆的離去。到了第三晚她再來的時候我再也忍不住不想法接近她。第一次得着的回音，雖則是『多謝好意，我再不願交友』的一個拒絕，只是加深了我的同情的好奇。我再不能放過她。巴黎的好處就在處處近人情；愛慕的自由是永遠容許的。你見誰愛慕誰想接近誰，決不是犯罪，除非你在經程中洩漏了你的蠢氣暴氣，陋相或是貧相，那不是文明的巴黎人所能容忍的。只要你「識相，」上海人說的，什麽可能的機會你都可以利用。對方人理你不理你，當然又是一回事；但只要你的步驟對，文明的巴黎人決不讓你難堪。

我不能放過她。第二次我大膽寫了個字條付中間人——店主人——交去。我心裏直怔怔的怕討沒趣。可是回話來了——她就走了，你跟着去吧。

她果然在飯店門口等着我。

你為什麽一定要找我說話，先生，像我這再不願意有朋友的人？

她張着大眼看我，口唇微微的顫着。

我的冒昧是不望恕的，但是我看了你愛嬰的神情我足足難受了三天，也不知怎的我就想接近你，和你談一次話，如其你許我，那就是我的想望，再沒有別的意思。

真的她那眼內滾出了淚來，我話還沒說完。

想不到我的心事又叫一個異邦人看透了……她聲音都啞了。

我們在路燈的燄光下默默的互注了半晌，並着肩沿馬路走去，走不到多遠她說不能走，我就問了她的允許雇車坐上，直望波龍尼大林園清涼的暑夜裏兜去。

原來如此，難怪你聽了跳舞的音樂像是厭惡似的，但既然不願意何以每晚還去？

那是我的感情作用；我有些捨不得不去，我在巴黎一天，那是我最初遇見——他的地方，但那時候的我……可是你真的同情我的際遇嗎，先生？我快有兩個月不開口了，不瞞你說。今晚見了你我再也不能制止，我爽性說給你我的生平的始末吧，只要你不嫌。我們還是回那飯莊去罷。

你不是厭煩跳舞的音樂嗎，

她初次笑了。多齊整潔白的牙齒，在道上的幽光裏亮着！有了你我的生氣就回復了不少，我還怕什麼音樂？

我們倆重進飯莊去選一個基角坐下，喝完了兩瓶香檳，從十一時舞影最凌亂時談起，直到早三時客人散盡侍役打掃屋子時才起身走，我在他的可憐身世的演述中遺忘了一切，當前的歌舞再不能分我絲毫的注意。

下面是她的自述。

我是在巴黎生長的。我從小就愛讀天方夜譚的故事，以及當代描寫東方的文學；阿東方，我的童真的夢魂那一刻不在它的玫瑰園中留戀？十四歲那年我的姊姊帶我上北京去住，她在那邊開一個時式的帽舖，有一天我看見一個小身材的中國人來買帽子，我就覺着奇怪，一來他長得異樣的清秀，二來他為什麼要來買那樣時式的女帽；到了下午一個女太太拿了方才買去的帽子來換了，我姊姊就問她那中國人是誰，她說是她的丈夫，說開了頭她就講她當初怎樣為愛他觸怒了自己的父母，結果斷絕了家庭和他結婚，但她一點也不追悔，因為她的中國丈夫待她怎樣好法，她不信西方人會得像他那樣體貼，那樣溫存。我再也忘不了她說話時滿心怡悅的笑容。從此我仰慕東方的私衷又添深了一層顏色。

我再回巴黎的時候已經長成了，我父親是最寵愛我的，我要什麼他就給我什麼。我那時就愛跳舞，阿，那些迷醉輕易的時光，巴黎那一處舞場上不見我的舞影。我的妙齡，我的顏色，我的體態，我的聰慧，尤其是我那媚人的大眼——阿，如今你見的是悲慘的餘生再不留當時的丰韻——制定了我初期的墮落。我說墮落不是？是的，墮落，人生那處不是墮落，這社會那裏容得一個有姿色的女人保全她的清潔？我正快走入險路的時候，我那慈愛的老父早已看出我的傾向，私下安排了一個機會叫我與一個有爵位的英國人接近。一個十七歲的女子那有什麼主意在兩個月內我就做了新娘。

說起那四年結婚的生活，我也不應得過分的抱怨，但我們歐洲的勢利的社會實在是樹心裏生了蟲，恐怕再沒有回復健康的希望。我到倫敦去做貴婦人時我還是個天真的孩子，那有什麼機心，那懂得虛偽的卑鄙的人間的底裏，我又是個外國人，到處遭受嫉忌與批評。還有我那叫名的丈夫，他娶我究竟為什麼動機我始終不明白，許貪我年輕貪我貌美帶回家去廣告他自己的手段，因為真的我不曾感著他一息的真情；新婚不到幾時他就對我冷淡了，其實他就沒有熱過，碰巧我是個傻孩子一天不聽着一句半句軟語，不受些溫柔的憐惜，到晚上我就不自制的悲傷。他有的是錢，有的是趨奉諂媚，成天在外打獵作樂，我愁了不來慰我，我病了不來問我，連著三年抑鬱的生涯完全消滅了我原來活潑快樂的天機，到第四年實在躭不住了，我與他吵一場回巴黎再見我父親的時候，他幾乎不認識我了。我自此就永別了我的英國丈夫。因為雖則實際的離婚手續在他方面到前年方始辦理，他從我走了後也就不再來顧問我，——這算是歐洲人夫妻的情分！

我從倫敦回到巴黎，就比久困的雀兒重復飛回了林中，眼內又有了笑，臉上又添了春色，不但身體好多，就連童年時的種種想望又在我心頭活了回來。三四年結婚的經驗更叫我厭惡西歐，更叫我神往東方。東方，阿，浪漫的多情的東方！我心裏常常的懷念著。有一晚，那一個運定的晚上，我就在這屋于內見著了他，與今晚一樣的歌聲，一樣的舞影，想起還不就是昨天，多飛快的光陰，就可憐我一個單薄的女子，無端叫運神播佈，在情網裏顛連，在經驗的苦海裏沈淪，朋友，我自分是已經埋葬了的活人，你何苦又來逼著我把往事掘起，我的話是簡短的，但我身受的苦惱，朋友，你信我，是不可量的；你望我的眼裏看，憑着你的同情你可以在剎那間領會我靈魂的眞際！

他是菲利濱人，也不知怎的我初次見面就迷了他。他膚色是深黃的，但他的性情是不可信的溫柔；他身材是短的，但他的私語有多叫人魂銷的魔力？阿，我到如今還不能怨他；我愛他太深，我愛他太眞，我如何能一刻忘他，雖則他到後來也是一樣的薄情，一樣的冷酷。你不倦麽，朋友，等我講給你聽？

我自從認識了他，我使傾注給他我滿懷的柔情，我想他，那負心的他，也夠他的享受，那三個月神仙似的生活！我們差不多每晚在此聚會的。祕談是他與我，歡舞是他與我，人間再有更甜美的經驗嗎？朋友你知道痴心人赤心愛戀的瘋狂嗎？因為不僅滿足了我私心的想望，我十多年夢魂縈繞的東方理想的實現。有他我什麽都有了，此外我更有什麽沾戀？因此等到我家裏為這事情與我開始交涉的時候，我更不躊躇的與我生身的父母根本決絕。我此時又想起了我垂髫時在北京見著的那個嫁中國人的女子，她與我一樣也為了痴情犧牲一切，我只希冀她這時還能保持着她那純愛的生活，不比我這失運人成天在幻滅的辛辣中回味。

我愛定了他。他是在巴黎求學的，不是貴族，也不是富人，那更使我放心，因為我早年的經驗使我還信眞愛情是窮人才能供給的。誰知他騙了我——他家裏也是有錢的，那時我在熱戀中拋棄了家，犧牲了名譽，跟了這黃臉人離卻巴黎，辭別歐洲，經過一個月的海程，我就到了我理想的燦爛的東方。阿，我那時的希望與快樂！但才出了紅海，他就上了心事，經我再三的逼他才告訴他家裏的實情，他父親是菲利濱最有錢的土著，性情是極嚴厲的，他怕輕易不能收受她進他們的家庭。我眞不願意把此後可憐的身世煩你的聽，朋友，但那才是我痴心人的結果，你耐心聽着吧！

東方，東方才是我的煩惱！我這回投進了一個更陌生的社會，呼吸更沈悶的空氣；他們自己中間也許有他們溫輭的人情，但輪着我的卻一樣還只是猜忌與譏刻，更不容情的刺襲我的孤獨的性靈。果然他的家庭不容我進門，把我看作一個「巴黎淌來的可疑的婦人。」我為愛他也不知忍受了多少不可忍的侮辱，吞了多少悲淚，但我自慰的是他對我不變的恩情。因為在初到的一時他還是不時來慰我——我獨自賃屋住着。但慢慢的也不知是人言浸潤還是他原來愛我不深，他竟然表示割絕我的意思。朋友，試想我這孤身女子犧牲了一切為的還不是他的愛，如今連他都離了我，那我更有什麼生機？我怎的始終不曾自毀，我至今還不信，因為我那時眞的是沒路走了。我又沒有錢，他狠心丟了我，我如何能再去纏他，這也許是我們白種人的崛強，我不久便揩乾了眼淚，出門去自尋活路。我在一個菲美合種人的家裏尋得了一個保姆的職務；天幸我生性是耐煩領小孩的——我在倫敦的日子沒孩子管我就養貓弄狗——救活我的是那三五個活靈的孩子，黑頭髮短手指的乖乖。在那炎熱的島上我是過了兩年沈頹色的生活，得了一次兇險的熱病，從此我面上再不存青年期的光彩。我的心境正稍稍回復平衡的時候，兩件不幸的事情又臨着了我：一件是我那他與另一女子的結婚，這消息使我昏絕了過去，一件是被我棄絕的慈父也不知怎的聞得了我的蹤跡來電說他老病快死要我回去。阿，天罰我！等我趕回巴黎的時候正好趕着與老人訣別，懺悔我先前的造孽！

從此我在人間還有什麼意趣？我只是個實體的鬼影，活動的屍體；我的心也早就死了，再也不起波瀾；在初次失望的時候我想像中還有個遼遠的東方，但如今東方只在我的心上留下一個鮮明的新傷，我更有什麼希冀，更有什麼心情？但我每晚還是不自主的到這飯店裏來小坐，正如死去的鬼魂忘不了他的老家！我這一生的經驗本不想再向人前吐露的，誰知又碰着了你，苦苦的追着我，逼我再一度撩撥死盡的火灰，這來你夠明白了，為什麼我老是這落漠的神情，我猜你也是過路的客人，我深深自幸又接近一次人情的溫慰，但我不敢希望什麼，我的心是死定了的，時候也不早了，你看方才舞影凌亂的地板上現在只賸一片冷淡的燈光，侍役們已經收拾乾淨，我們也該走了，再會吧，多情的朋友！

（二）「先生，你見過豔麗的肉沒有？」

我在巴黎時常去看一個朋友，他是一個畫家，住在一條老聞着魚腥的小街底頭一所老屋子的頂上一個A字式的尖閣裏，光線闇慘得怕人，白天就靠兩塊日光胰子大小的玻璃窗給裝裝幌，反正住的人不嫌就得，他是照例不過正午不起身，不近天亮不上床的一位先生，下午他也不居家，起碼總得上燈的時候他才脫下了他的外褂露出兩條破爛的臂膀埋身在他那豔麗的垃圾窩裏開始他的工作。

豔麗的垃圾窩——它本身就是一幅妙畫！我說給你聽聽。貼牆有精窄的一條上面蓋着黑毛氈的算是他的床，在這上面就准你規規矩矩的躺着，不說起坐一定扎腦袋，就連翻身也不免冒犯斜着下來永遠不退讓的屋頂先生的身分！承着頂尖全屋子頂寬舒的部分放着他的書桌——我捏着一把汗叫它書桌，其實還用提嗎，上邊什麼法寶都有，書冊子，稿本，黑炭顏色盤子，爛襪子，領結，軟領子，熱水瓶子壓癟了的，燒乾了的酒精燈，電筒，各色的藥瓶，彩油瓶，髒手絹，斷頭的筆桿，沒有蓋的墨水瓶子，一柄手鎗，那是瞞不過我化七法郎在密歇耳大街路旁舊貨攤上換來的，照相鏡子，小手鏡，斷齒的梳子，蜜膏，晚上喝不完的咖啡盃，詳夢的小書，還有——還有可疑的小紙盒兒，凡士林一類的油膏……一雙破木板箱一頭漆着名字上面蒙着一塊灰色布的是他的梳粧台兼書架，一個洋磁面盆半盆的胰子水似乎都叫一部舊板的盧騷集子給饕了去，一頂便帽套在洋瓷長提壺的耳柄上，從袋底裏倒出來的小銅錢錯落的散着像是土耳其人的符咒，幾隻稀小的爛蘋果圍着一條破香蕉像是一羣大學教授們圍着一個教育次長索薪……

壁上看得更斑斕了：這是我頂得意的一張龐那的底稿當廢紙買來的，這是我臨蒙內的裸體，不十分行，我來撿起燈罩你可以看清楚一點，草色太濃了，那膝部畫壞了，這一小幅更名貴，你認是誰，羅丹的那是我前年最大的運氣，也算是錯來的老巴黎，就是這點子便宜，挨了半年八個月的餓不要緊，——！只要有機會撈着眞東西，這還不值得！那邊一張擠在兩幅油畫縫裏的，你見了沒有，也是有來歷的，那是我前年趁馬克倒霉路過佛蘭克福德時夾手搶來的，是眞的菸磐爾都難說，就差糊了一點，現在你給三千佛郎我都不賣，加倍再加倍都值，你信不信？再看那一長條……在他那手指東點西的賣弄他的家珍的時候，你竟會忘了你站着的地方是不夠六尺闊的一間閣樓，倒像誇在你頭頂那兩爿斜着下來的屋頂也順着他那藝術謊法術似的隱了去，露出一個爽愷的高天，壁上的疙瘩，壁蟢窠，霉塊，釘疤，全化成了哥羅畫幀中『飄緲欲化煙』的最美麗林樹與輕快的流澗；桌上的破領帶及手絹爛香蕉臭襪子等等也全變形成戴大闊邊稻草帽的牧童們，偎着樹打盹的，牽着牛在澗裏喝水的手反覗着腦袋放平在青草地上瞪眼看天的，斜眼睄着那邊走進來的娘們手按着音腔吹橫笛的——可不是那邊來了一羣娘們，全是年歲青青的，露着胸膛，散着頭髮，還有光着白腿的在青草地上跳着來了？……唵！。小心扎腦袋，這屋子眞別扭，你出什麽神來了？想着你的 Bel Ami 對不對？你到巴黎快半個月，該早有落兒了，這年頭收成眞容易——噢，太容易了！誰說巴黎不是理想的地獄？你吸煙斗嗎？這兒有自來火。對不起，屋子裏除了床，就是那張彈簧早經追悼過了的沙發，你坐坐吧，給你一個墊子，這是全屋子頂溫柔的一樣東西。

不錯，那沙發，這閣樓上要沒有那張沙發，主人的風格就落了一個極重要的原素。說它肚子裏的彈簧完全沒了勁，在主人說是太謙，在我說是簡直污蔑了它。因爲分明有一部分彈簧是不曾死透的，那在正中間，看來倒像是一座分水嶺，左右都是往下傾的，我初坐下時不提防它還有彈力，倒叫我駭了一下；靠手的套布可眞是全霉了，露着黑黑黃黃不知是什麼貨色，活像主人襯衫的袖子。我正落了坐，他咬了咬嘴唇翻一翻眼珠微微的笑了。笑什麼了你？我笑——你坐上沙發那樣兒叫我想起愛菱。愛菱是誰？她呀——她是我第一個模特兒。模特兒？你的？你的破房子還有模特兒，你這窮鬼化得起……別急，究竟是中國初來的，聽了模特兒就這樣的起勁，看你那脖子都上了紅印了！本來不算事當然，可是我說像你這樣的破雞棚……破雞棚便怎麼樣，耶穌生在馬號裏的，安琪兒們都在馬矢裏跪着禮拜哪！別忙，好朋友，我講你聽。如其巴黎人有一個好處，他就是不勢利！中國人頂糟了，這一點；窮人有窮人的勢利，闊人有闊人的勢利，半不闌珊的有半不闌珊的勢利——那才是半開化，才是野蠻！你看像我這樣子，頭髮像刺蝟，八九天不刮的破鬍子，半年不收拾的髒衣服，鞋帶扣不上的皮鞋——要在中國，誰不叫我外國叫化子，那配進北京飯店一類的勢利場；可是在巴黎，我就這樣兒隨便問那一個衣服頂漂亮脖子搽得頂香的娘們跳舞，十回就有九回成的，信不信？至於模特兒，那更不成話，那有在巴黎學美術的，不論多窮，一年裏不換十來個眼珠亮亮的來坐樣兒？屋子破更算什麼？波希氏的生活就是這樣，按你說模特兒就不該坐壞沙發，你得準備杏黃貢緞繡丹鳳朝陽做墊的太師椅請她坐，你才安心對不對？再說……

別再說了！算我少見世面，算我是鄉下老憨得了；可是說起模特兒，我倒有點好奇，你何妨講些經驗給我長長見識？有眞好的沒有？我們在美術院裏見著的什麼維納絲得米羅，維納絲梅第妻，還有鐵靑的，魯班師的，艷第千里的，丁稻來篤的，箕奧其安內的裸體實在是太美，太理想，太不可能；太不可思議；反面說，新派的比如雪尼約克的，瑪提斯的，塞尚的，高耿的，弗郎剌馬克的，又是太醜，太損，太不像人，一樣的太不可能，太不可思議。人體美究竟怎麼一回事？我們不幸生長在中國，女人衣服一直穿到下巴底下腰身與後部看不出多大分別的世界裏，實在是太蒙昧無知，太不開眼，可是再說呢，東方人也許根本就不該叫人開眼的，你看過約翰巴里士那本沙揚娜拉沒有？他那一段形容一個日本裸體身女——就是一張臉子粉搽得像棺材裏爬起來的顏色，此外耳朶以後下巴以下就比如一節蒸不透的珍珠米！——看了眞叫人惡心。你們學美術的才有第一手的經驗，我倒是……

你倒是眞有點羨慕，對不對？不怪你，人總是人。不瞞你說，我學畫畫原來的動機也就是這點子對人體祕密的好奇。你說我窮相，不錯，我眞是窮，飯都吃不飽，衣都穿不全，可是模特兒——我怎麼也省不了。這對人體美的欣賞在我已經成了一種生理的要求，必要的奢侈，不可擺脫的嗜好；我寗可少吃儉穿，省下幾個佛郎來多雇幾個模特兒。你簡直可以說我是著了迷，成了病，發了瘋，愛說什麼就什麼，我都承認——我就不能一天沒有一個精光的女人就在我的面前供養，安慰，餵飽我的『眼淫』。當初羅丹我猜也一定與我一樣的狼狽，據說他那房子裏老是有剝光了的女人，也不為坐樣兒，單看她們日常生活『實際的』多變化的姿態——他是一個牧羊人，成天看着一羣剝了毛皮的馴羊！魯班師那位窮凶極惡的大手筆，說是常難為他太太做模特兒，結果因為他成天不斷的畫他太太竟許連穿褲子的空兒都難得有！但如果這話是真的魯班師還是太傻，難怪他那畫裏的女人都是這剝白豬似的單調，少變化；美的分配在人體上是極神秘的一個現象，我不信有理想的全材，不論男女我想幾乎是不可能的；上帝拿着一把顏色望地面上撒，玫瑰，羅蘭，石榴，玉簪，剪秋羅，各樣都沾到了一種或幾種的彩澤，但決沒有一種花包涵所有可能的色調的，那如其有，按理論講，豈不是又得回復了沒顏色的本相？人體美也是這樣的，有的美在胸部，有的腰部，有的下部，有的頭髮，有的手，有的腳踝，那不可理解的骨格，筋肉，肌理的會合，形成各各不同的線條，色調的變化，皮面的漲度，毛管的分配，天然的姿態，不可制止的表情——也得你不怕麻煩細心體會發見去，上帝沒有這樣便宜你的事情，他決不給你一個具體的絕對美，如果有我們所有藝術的努力就沒有了意義；巧妙就在你明知這山裏有金子，可是在那一點你得自己下工夫去找。阿！說起這藝術家審美的本能，我真要閉着眼感謝上帝——要不是它，豈不是所有人體的美，說窄一點，都變了古長安道上歷代帝王的墓窟，全叫一層或幾層薄薄的衣服給埋沒了！回頭我給你看我那張破床底下有一本寶貝，我這十年血汗辛苦的成績——千把張的人體臨摹，而且十分之九是在這間破雞棚裏鈎下的，別看低我這張彈簧早經破掉了的沙發，這上面落坐過至少一二百個當得起美字的女人！別提專門做模特兒的，巴黎那一個不知道俺家黃臉什麼，那不算希奇，我自負的是我獨到的發見：一半因為看多了緣故，女人肉的引誘在我差不多完全消滅在美的欣賞裏面，結果在我這雙『淫眼』看來，一絲不掛的女人就同紫霞宮裏翻出來的屍首穿得重重密密的搖不動我的性慾，反面說當真穿着得極整齊的女人，不論她在人堆裏站着，在路上走着，只要我的眼到，她的衣服的障礙就無形的消滅，正如老練的礦師一瞥就認出鑛苗，我這美術本能也是一瞥就認出「美苗」，一百次裏錯不了一次；每回發見了可能的時候，我就非想法找到她剝光了她叫我看個滿意不成，上帝保佑這文明的巴黎，我失望的時候真難得有！我記得有一次在戲院子看着了一個貴婦人，實在沒法想，（我當然試來）我那難受就不用提了，比發瘧疾還難受——她那特長分明是在小腹與……

夠了夠了！我倒叫你說得心癢癢的。人體美！這門學問，這門福氣，我們不幸生長在東方，誰有機會研究享受過來？可是我既然到了巴黎，又幸氣碰着你，我倒真想叨你的光開開我的眼，你得替我想法，要找在你這宏富的經驗中比較最貼近理想的一個看看……

你又錯了！什麼，你意思花就許巴黎的花香，人體就許巴黎的美嗎？太滅自己的威風了！別信那巴理士什麼沙揚娜拉的胡說，聽我說，正如東方的玫瑰不比西方的玫瑰差什麼香味，東方的人體在得到相當的栽培以後，也同樣不能比西方的人體差什麼美——除了天然的限度，比如骨格的大小，皮膚的色彩。同時頂要緊的當然要你自己性靈裏有審美的活動，你得有眼睛，要不然這宇宙不論它本身多美多神奇在你還是白來的。我在巴黎若過這十年，就爲前塗有一個宏願：我要張大了我這經過訓練的『淫眼』到東方去發見人體美——誰說我沒有大文章做出來？至於你要借我的光開開眼，那是最容易不過的事情，可是我想想——可惜了！有個馬達姆朗洒，原先在巴黎大學當物理講師的，你看了準忘不了，現在可不在了，到倫敦去了；還有一個馬達姆薛托漾，她是遠在南邊鄉下開麵包鋪子的，她就夠打倒你所有的丁稻來篤，所有的鐵青，所有的箕奧其安內——尤其是給你這未入流看，長得太美了，她通體就看不出一根骨頭的影子，全叫勻勻的肉給隱住的，圓的，潤的，有一致節奏的，那妙是一百個哥蒂謁也形容不全的，尤其是她那腰以下的結構，眞是奇蹟！你從意大利來該見過西龍尼維納絲的殘象，就那也只能彷彿，你不知道那活的氣息的神奇，什麼大藝術天才都沒法移植到畫布上或是石塑上去的（因此我常常自己心裏辯論究竟是藝術高出自然還是自然高出藝術，我怕上帝僭先的機會畢竟比凡人多些；）不提別的單就她站在那裏，你看，從小腹接榫上股那兩條交薈的弧線起直往下貫到腳著地處止，那肉的浪紋就比是——實在是無可比——你夢裏聽著的音樂：不可信的輕柔，不可信的勻淨，不可信的韻味——說粗一點，那兩股相並處的一條線直貫到底，不漏一屑的破綻，你想通過一根髮絲或是吹度一絲風息都是絕對不可能的——但同時又決不是肥肉的黏著，那就呆了。眞是夢！唉，就可惜多美一個天才偏叫一個身高六尺三寸長紅鬍子的麵包師給糟蹋了；真的這世上的因緣說來真怪，我很少看見美婦人不嫁給猴子類牛類水馬類的醜男人！但這是文話。眼前我招得到的，夠資格的也就不少——有了，方才你坐上這沙發的時候叫我想起了愛菱，也許你與她有緣分，我就為你招她去吧，我想應該可以容易招到的。可是上那兒呢？這屋子終究不是欣賞美婦人的理想背景，第一不夠開展，第二光綫不夠——至少為外行人像你一類著想……我有了一個頂好的主意，你遠來客我也該獨出心裁招待你一次，好在愛菱與我特別的熟，我要她怎麼她就怎麼；暫且約定後天吧，你上午十二點到我這裏來，我們一同到芳丹薄羅的大森林裏去，那是我常遊的地方，尤其是阿房奇石相近一帶，那邊有的是天然的地毯，這一時是自然最妖豔的日子，草青得滴得出翠來，樹綠得漲得出油來，松鼠滿地滿樹都是，也不很怕人，頂好玩的，我們決計到那一帶去秘密野餐吧——至於『開眼』的話，我包你一個百二十分的滿足，將來一定是你從歐洲帶回家最不易磨滅的一個印象！一切有我佈置去，你要是願意貢獻的話，也不用別的，就要你多買大楊梅，再帶一瓶橘子酒，一瓶綠酒，我們享半天閒福去。現在我講得也累了，我得躺一會兒，我拿我床底下那本秘本給你先揣摹揣摹……

隔一天我們從芳丹薄羅林子裏回巴黎的時候，我髣髴剛做了一個最荒唐，最豔麗，最祕密的夢。

一四，一二，二一。

·選自巴黎的鱗爪·

我所知道的康橋

一

我這一生的周折，大都尋得出感情的線索。不論別的，單說求學。我到英國是為要從羅素。羅素來中國時，我已經在美國。他那不確的死耗傳到的時候，我真的出眼淚不夠，還做悼詩來了。他沒有死，我自然高興。我擺脫了哥崙比亞大博士銜的引誘，買船票過大西洋，想跟這位二十世紀的福祿泰爾認真念一點書去。誰知一到英國才知道事情變樣了：一為他在戰時主張和平，二為他離婚，羅素叫康橋給除名了，他原來是 Trinity College 的 Fellow，這來他的 Fellowship 也給取銷了。他回英國後就在倫敦住下，夫妻兩人賣文章過日子。因此我也不曾遂我從學的始願。我在倫敦政治經濟學院裏混了半年，正感着悶想換路走的時候，我認識了狄更生先生。狄更生——Galsworthy Lowes Dickinson——是一個有名的作者，他的『一個中國人通信』Letters From John Chinaman 與『一個現代聚餐談話』(A Modern Symposium) 兩本小冊子早得了我的景仰。我第一次會着他是在倫敦國際聯盟協會席上，那天林宗孟先生演說，他做主席；第二次是宗孟寓裏喫茶，有他。以後我常到他家裏去。他看出我的煩悶，勸我到康橋去，他自己是王家學院 (Kings College) 的 Fellow。我就寫信去問兩個學院，回信都說學額早滿了，隨後還是狄更生先生替我去在他的學院裏說好了，給我一個特別生的資格，隨意選科聽講。從此黑方巾黑披袍的風光也被我占着了。初起我在離康橋六英里的鄉下叫沙士頓地方租了幾間小屋住下，同居的有我從前的夫人張幼儀女士與郭虞裳君。每天一早我坐街車（有時自行車）上學，到晚回家。這樣的生活過了一個春，但我在康橋還只是個陌生人，誰都不認識，康橋的生活，可以說完全不曾嘗着，我知道的只是一個圖書館，幾個課室，和三兩個吃便宜飯的茶食舖子。狄更生常在倫敦或是大陸上，所以也不常見他。那年的秋季我一個人回到康橋，整整有一學年，那時我才有機會接近真正的康橋生活，同時我也慢慢的「發見」了康橋。我不曾知道過更大的愉快。

二

「單獨」是一個耐尋味的現象。我有時想它是任何發見的第一個條件。你要發見你的朋友的「真」，你得有與他單獨的機會。你要發見你自己的真，你得給你自己一個單獨的機會。你要發見一個地方（地方一樣有靈性，）你也得有單獨玩的機會。我們這一輩子，認真說，能認識幾個人？能認識幾個地方？我們都是太匆忙，太沒有單獨的機會。說實話，我連我的本鄉都沒有什麼了解。康橋我要算是有相當交情的，再次許只有新認識的翡冷翠了。阿，那些清晨，那些黃昏，我一個人發痴似的在康橋！絕對的單獨。

但一個人要寫他最心愛的對象，不論是人是地，是多麼使他為難的一個工作？你怕，你怕描壞了它，你怕說過分了惱了它，你怕說太謹慎了辜負了它。我現在想寫康橋也，正是這樣的心理，我不曾寫，我就知道這回是寫不好的——況且又是臨時逼出來的事情。但我卻不能不寫上期預告已經出去了。我想勉強分兩節寫一是我所知道的康橋的天然景色，一是我所知道的康橋的學生生活。我今晚只能極簡的寫些，等以後有興會時再補。

三

康橋的靈性全在一條河上；康河，我敢說，是全世界最秀麗的一條水。河的名字是葛蘭大(Granta)，也有叫康河 (River Cam) 的，許有上下流的區別，我不甚清楚。河身多的是曲折，上游是有名的拜倫潭——"Byron's Pool"——當年拜倫常在那裏玩的；有一個老村子叫格蘭騫斯德，有一個果子園，你可以躺在纍纍的桃李樹蔭下吃茶，花果會吊入你的茶杯，小雀子會到你桌上來啄食，那真是別有一番天地。這是上游；下游是從騫斯德頓下去，河面展開，那是春夏間競舟的場所。上下河分界處有一個壩築，水流急得很，在星光下聽水聲，聽近村晚鐘聲，聽河畔倦牛芻草聲，是我康橋經驗中最神秘的一種：大自然的優美，寧靜，調諧在這星光與波光的默契中不期然的淹入了你的性靈。

但康河的精華是在它的中權著名的 "Backs" 這兩岸是幾個最蜚聲的學院的建築。從上面下來是 Pembroke, St. Katharine's, King's, Clare, Trinity, St. John's。最令人留連的一節是克萊亞與王家學院的毗連處，克萊亞的秀麗緊鄰着王家教堂 (King's Chare') 的閎偉。別的地方儘有更美更莊嚴的建築，例如巴黎賽因河的羅浮宮一帶，威尼斯的利阿爾多大橋的兩岸，翡冷翠維基烏大橋的周遭；但康橋的"Backs"自有它的特長，這不容易用一二個狀詞來概括，它那脫盡塵埃氣的一種清澈秀逸的意境可說是超出了畫圖而化生了音樂的神味。再沒有比這一羣建築更調諧更勻稱的了！論畫，可比的許只有柯羅(Corot)的田野；論音樂，可比的許只有蕭班(Chopin)的夜曲。就這，也不能給你依稀的印象，它給你的美感簡直是神靈性的一種。

假如你站在王家學院橋邊的那顆大椈樹蔭下眺望，右側面，隔着一大方淺草坪，是我們的校友居(Fellows Buildings)，那年代並不早，但它的嫵媚也是不可掩的，它那蒼白的石壁上春夏間滿綴着豔色的薔薇在和風中搖顫，更移左是那教堂，森林似的尖閣不可浼的永遠直指着天空；更左是克萊亞，阿！那不可信的玲瓏的方庭，誰說這不是聖克萊亞(St. Clare)的化身，那一塊石上不閃耀着她當年聖潔的精神？在克萊亞後背隱約可辨的是康橋最潢貴最驕縱的三清學院(Trinity)，它那臨河的圖書樓上坐鎮着拜倫神采驚人的雕像。

但這時你的注意早已叫克萊亞的三環洞橋魔術似的攝住。你見過西湖白堤上的西冷斷橋不是？(可憐它們早已叫代表近代醜惡精神的汽車公司給踩平了，現在它們跟着蒼涼的雷峯永遠辭別了人間。)你忘不了那橋上斑駁的蒼苔，木栅的古色，與那橋拱下洩露的湖光與山色不是？克萊亞並沒有那樣體面的襯托，它也不比廬山棲賢寺旁的觀音橋，上瞰五老的奇峯，下臨深潭與飛瀑；它只是怯怜怜的一座三環洞的小橋，它那橋洞間也只掩映著細紋的波鱗與婆娑的樹影，它那橋上櫛比的小穿闌與闌節頂上雙雙的白石球，也只是村姑子頭上不誇張的香草與野花一類的裝飾；但你凝神的看着，更凝神的看着，你再反省你的心境，看還有一絲屑的俗念沾滯不？只要你審美的本能不曾汨滅時，這是你的機會實現純粹美感的神奇！

但你還能選你賞鑒的時辰。英國的天時與氣候是走極端的。冬天是荒謬的壞，逢着連綿的霧盲天你一定不遲疑的甘願進地獄本身去試試；春天（英國是幾乎沒有夏天的）是更荒謬的可愛，尤其是它那四五月間最漸緩最艷麗的黃昏，那才真是寸寸黃金。在康河邊上過一個黃昏是一服靈魂的補劑。阿！我那時蜜甜的單獨，那時蜜甜的閑暇。一晚又一晚的，只見我出神似的倚在橋欄上向西天凝望：——

看一回凝靜的橋影，
數一數螺細的波紋：
我倚暖了石闌的青苔，
青苔涼透了我的心坎；……

還有幾句更笨重的怎能彷彿那游絲似輕妙的情景：

難忘七月的黃昏，遠樹凝寂，

像墨潑的山形，襯出輕柔瞑色，
密稠稠，七分鵝黃，三分橘綠，
那妙意祇可去秋夢邊緣捕捉；……

四

這河身的兩岸都是四季常青最葱翠的草坪。從校友居的樓上望去，對岸草場上，不論早晚，永遠有十數匹黃牛與白馬，脛蹄沒在恣蔓的草叢中，從容的在咬嚼，星星的黃花在風中動盪，應和着它們尾鬃的掃拂。橋的兩端有斜倚的垂柳與椈蔭護住。水是澈底的清澄，深不足四尺，勻勻的長着長條的水草。這岸邊的草坪又是我的愛寵，在清朝，在傍晚，我常去這天然的織錦上坐地，有時讀書，有時看水；有時仰卧着看天空的行雲，有時反仆着摟抱大地的溫軟。

但河上的風流還不止兩岸的秀麗。你得買船去玩。船不止一種：有普通的雙槳划船，有輕快的薄皮舟(Canoe)，有最別緻的長形撐篙船(Punt)。最末的一種是別處不常有的：約莫有二丈長，三尺寬，你站直在船梢上用長竿撐着走的。這撐是一種技術。我手腳太蠢，始終不曾學會。你初起手嘗試時，容易把船身橫住在河中，東顛西撞的狼狽。英國人是不輕易開口笑的人，但是小心他們不出聲的皺眉！也不知有多少次河中本來優閒的秩序叫我這莽撞的外行給搗亂了。我真的始終不曾學會；每回我不服輸跑去租船再試的時候，有一個白鬍子的船家往往帶譏諷的對我說：「先生，這撐船費勁，天熱累人，還是拿個薄皮舟溜溜吧！「我那裏肯聽話，長篙子一點就把船撐了開去，結果還是把河身一段段的腰斬了去！

你站在橋上去看人家撐，那多不費勁，多美！尤其在禮拜天有幾個專家的女郎，穿一身縞素衣服，裙裾在風前悠悠的飄着，戴一頂寬邊的薄紗帽，帽影在水草間顫動，你看她們出橋洞時的姿態，撚起一根竟像沒分量的長竿，只輕輕的，不經心的往波心裏一點，身子微微的一蹲，這船身便波的轉出了橋影，翠條魚似的向前滑了去。她們那敏捷，那閒暇，那輕盈，眞是值得歌詠的。

在初夏陽光漸煖時你去買一支小船，划去橋邊蔭下躺着念你的書或是做你的夢，槐花香在水面上飄浮，魚羣的唼喋聲在你的耳邊挑逗。或是在初秋的黄昏，近着新月的寒光，望上流僻靜處遠去。愛熱鬧的少年們攜着他們的女友，在船沿上支着雙雙的東洋綵紙燈，帶著話匣子，船心裏用軟墊鋪着，也開向無人跡處去享他們的野福——誰不愛聽那水底翻的音樂在靜定的河上描寫夢意與春光！

住慣城市的人不易知道季候的變遷。看見葉子掉知道是秋，看見葉子綠知道是春；天冷了裝爐子，天熱了拆爐子；脫了棉袍，換上夾袍，脫下夾袍，穿上單袍：不過如此罷了。天上星斗的消息，地下泥土裏的消息，空中風吹的消息，都不關我們的事。忙着哪，這樣那樣事情多着，誰耐煩管星星的移轉，花草的消長，風雲的變幻？同時我們抱怨我們的生活，苦痛，煩悶，拘束，枯燥，誰肯承認做人是快樂？誰不多少間咒詛人生？

但不滿意的生活大都是由於自取的。我是一個生命的信仰者，我信生活決不是我們大多數人僅僅從自身經驗推得的那樣暗慘。我們的病根是在「忘本。」人是自然的產兒，就比枝頭的花與鳥是自然的產兒；但我們不幸是文明人，入世深似一天，離自然遠似一天。離開了泥土的花草，離開了水的魚，能快活嗎？能生存嗎？從大自然，我們取得我們的生命；從大自然，我們應分取得我們繼續的滋養。那一株婆娑的大木沒有盤錯的根柢深入在無盡藏的地裏？我們是永遠不能獨立的。有幸福是永遠不離母親撫育的孩子，有健康是永遠接近自然的人們。不必一定與鹿豕遊，不必一定回「洞府」去；為醫治我們當前生活的枯窘，只要『不完全遺忘自然』一張輕淡的藥方我們的病象就有緩和的希望。在青草裏打幾個滾，到海水裏洗幾次浴，到高處去看幾次朝霞與晚照——你肩背上的負担就會輕鬆了去的。

這是極膚淺的道理，當然。但我要沒有過過康橋的日子，我就不會有這樣的自信。我這一輩子就只那一春，說也可憐，算是不曾虛度。就只那一春，我的生活是自然的，是真愉快的！（雖則碰巧那也是我最感受人生痛苦的時期。）我那時有的是閒暇，有的是自由，有的是絕對單獨的機會。說也奇怪，竟像是第一次，我辨認了星月的光明，草的青，花的香，流水的殷勤。我能忘記那初春的睥睨嗎？曾經有多少個清晨我獨自冒着冷去薄霜鋪地的林子裏閒步——為聽鳥語，為盼朝陽，為尋泥土裏漸次蘇醒的花草，為體會纖細最神妙的春信。阿，那是新來的畫眉在那邊凋不盡的青枝上試它的新聲！阿，這是第一朵小雪球花掙出了半凍的地面！阿，這不是新來的潮潤沾上了寂寞的柳條？

靜極了，這朝來水溶溶的大道，只遠處牛奶車的鈴聲，點綴這週遭的沈默。順着這大道走去，走到盡頭，再轉入林子裏的小徑，往烟霧濃密處走去，頭頂是交枝的榆蔭，透露着漠楞楞的曙色；再往前走去，走盡這林子，當前是平坦的原野，望見了村舍，初青的麥田，更遠三兩個饅形的小山掩住了一條通道。天邊是霧茫茫的，尖尖的黑影是近村的教寺。聽，那曉鐘和緩的清音。這一帶是此邦中部的平原，地形像是海裏的輕波，默沈沈的起伏；山嶺是望不見的，有的是常青的草原與沃腴的田壤。登那土阜上望去，康橋只是一帶茂林，擁戴着幾處娉婷的尖閣。嫵媚的康河也望不見踪跡，你只能循着那錦帶似的林木想像那一流清淺。村舍與樹林是這地盤上的棋子，有村舍處有佳蔭，有佳蔭處有村舍。這早起是看炊烟的時辰：朝霧漸漸的升起，揭開了這灰蒼蒼的天幕，（最好是微霰後的光景）遠近的炊烟，成絲的，成縷的，成捲的，輕快的，遲重的，濃灰的，淡青的，慘白的，在靜定的朝氣裏漸漸的上騰，漸漸的不見，彷彿是朝來人們的祈禱，參差的翳入了天聽。朝陽是難得見的，這初春的天氣。但它來時是起早人莫大的愉快。頃刻間這田野添深了顏色，一層輕紗似的金粉糝上了這草，這樹，這通道，這莊舍。頃刻間這周遭瀰漫了清晨富麗的溫柔。頃刻間你的心懷也分潤了白天誕生的光榮。「春！」這勝利的晴空彷彿在你的耳邊私語。「春！」你那快活的靈魂也彷彿在那裏回響。

伺候着河上的風光，這春來一天有一天的消息。關心石上的苔痕，關心敗草裏的鮮花，關心這水流的緩急，關心水草的滋長，關心天上的雲霞，關心新來的鳥語。怯憐憐的小雪球是探春信的小使。鈴蘭與香草是歡喜的初聲。窈窕的蓮馨，玲瓏的石水仙，愛熱鬧的克羅克斯，耐辛苦的蒲公英與雛菊——這時候春光已是縵爛在人間，更不須殷勤問訊。

瑰麗的春天，這是你野遊的時期。可愛的路政，這里不比中國，那一處不是坦蕩蕩的大道？徒步是一個愉快，但騎自轉車是一個更大的愉快。在康橋騎車是普遍的技術；婦人，稚子，老翁，一致享受這雙輪舞的快樂。（在康橋聽說自轉車是不怕人偷的，就為人人都自己有車，沒人要偷。）任你選一個方向，任你上一條通道，順着這帶草味的和風，放輪遠去，保管你這半天的逍遙是你性靈的補劑。這道上有的是清蔭與美草，隨地都可以供你休憩。你如愛花，這里多的是錦繡似的草原。你如愛鳥，這里多的是巧囀的鳴禽。你如愛兒童，這鄉間到處是可親的稚子。你如愛人情，這里多的是不嫌遠客的鄉人，你到處可以「掛單」借宿，有酪漿與嫩薯供你飽餐，有奪目的鮮果恣你嘗新。你如愛酒，這鄉間每「望」都為你儲有上好的新釀，黑啤如太濃，蘋果酒薑酒都是供你解渴潤肺的。……帶一卷書，走十里路，選一塊清靜地，看天，聽鳥，讀書，倦了時，和身在草綿綿處尋夢去——你能想像更適情更適性的消遣嗎？

陸放翁有一聯詩句：「傳呼快馬迎新月，却上輕輿趁晚涼；」這是做地方官的風流。我在康橋時雖沒馬騎，沒轎子坐，却也有我的風流：我常常在夕陽西曬時騎了車迎着天邊扁大的日頭直追。日頭是追不到的，有沒有夸父的荒誕，但晚景的溫存卻被我這樣偷嘗了不少。有三兩幅畫圖似的經驗至今還是栩栩的留着。只說看夕陽，我們平常只知道登山或是臨海，但實際只須遼闊的天際，平地上的晚霞有時也是一樣的神奇。有一次我趕到一個地方，手把着一家村莊的籬笆，隔着一大田的麥浪，看西天的變幻。有一次是正衝着一條寬廣的大道，過來一大羣羊，放草歸來的，偌大的太陽在它們後背放射着萬縷的金輝，天上却是烏青青的，只賸這不可逼視的威光中的一條大路，一羣生物！我心頭頓時感着神異性的壓迫，我真的跪下了，對着這冉冉漸翳的金光。再有一次是更不可忘的奇景，那是臨着一大片望不到頭的草原，滿開着豔紅的罌粟，在青草裏亭亭的像是萬盞的金燈，陽光從褐色雲裏斜着過來，幻成一種異樣的紫色，透明似的不可逼視，霎那間在我迷眩了的視覺中，這草田變成了……

……不說也罷，說來你們也是不信的！

一別二年多了，康橋，誰知我這思鄉的隱憂？也不想別的，我只要那晚鐘撼動的黃昏，沒遮攔的田野，獨自斜倚在軟草裏，看第一個大星在天邊出現！

十五年一月十五日

・選自巴黎的鱗爪・

自剖

我是個好動的人；每回我身體行動的時候，我的思想也彷彿就跟着跳盪。我做的詩，不論它們是怎樣的『無聊』，有不少是在行旅期中想起的。我愛動，愛看動的事物，愛活潑的人，愛水，愛空中的飛鳥，愛車窗外掣過的田野山水。星光的閃動，草葉上露珠的顫動，花鬚在微風中的搖動，雷雨時雲空的變動，大海中波濤的洶湧，都是在在觸動我感興的情景。是動，不論是什麼性質，就是我的興趣我的靈感。是動就會催快我的呼吸，加添我的生命。

近來却大大的變樣了。第一我自身的肢體，已不如原先靈活；我的心也同樣的感受了不知是年歲還是什麼的拘縶。動的現象再不能給我歡喜，給我啟示。先前我看着在陽光中閃鑠的金波，就彷彿看見了神仙宮闕——什麼荒誕美麗的幻覺不在我的腦中一閃閃的掠過；現在不同了，陽光只是陽光，流波只是流波，任憑景色怎樣的燦爛，再也照不化我的呆木的心靈。我的思想如其偶爾有，也只似岩石上的藤蘿，貼着枯乾的粗糙的石面，極困難的蜒着；顏色是蒼黑的，姿態是倔強的。

我自己也不懂得何以這變遷來得這樣的突兀，這樣的深徹。原先我在人前自覺竟是一注的流泉，在在有飛沫，在在有閃光；現在這泉眼，如其還在，彷彿是叫一塊石板不留餘隙的給鎮住了。我再沒有先前那樣蓬勃的情趣，每回我想說話的時候，就覺着那石塊的重壓，怎麼也掀不動，怎麼也推不開，結果只能自安沉默！「你再不用想什麼了，你再沒有什麼可想的了；」「你再不用開口了，你再沒有什麼話可說的了，」我常覺得我沉悶的心府裏有這樣半嘲諷半弔唁的諍囑。

說來我思想上或經驗上也並不曾經受什麼過分劇烈的戟刺。我處境是向來順的，現在如其有不同，只是更順了的。那麼為什麼這變遷？這不說，就比如我年前到歐洲去時的心境：阿！我那時還不是一隻初長毛角的野鹿？什麼顏色不激動我的視覺，什麼香味不奮興我的嗅覺？我記得我在意大利寫遊記的時候，情緒是何等的活潑，興趣何等的醇厚，一路來眼見耳聽心感的種種，那一樣不活栩栩的叢集在我的筆端，爭求充分的表現！如今呢？我這次到南方去，來回也有一個多月的光景，這期內眼見耳聽心感的事物也該有不少。我未動身前，又何嘗不自喜此去又可以有機會飽餐西湖的風色，鄧尉的梅香——單提一兩件最合我脾胃的事。有好多朋友也曾期望我在這閑暇的假期中採集一點江南風趣，歸來時，至少也該帶回一兩篇爽口的詩文，給在北京泥土的空氣中活命的朋友們一些清醒的消遣。但在事實上不但在南中時我白瞪着大眼，看天亮換天昏，又閉上了眼，拚天昏換天亮，一枝禿筆跟着我涉海去，又跟着我涉海回來，正如岩洞裏的一根石筍，壓根兒就沒一點搖動的消息；就在我回京後這十來天，任憑朋友們怎樣的催促，自己良心怎樣的責備，我的筆尖上還是滴不出一點墨瀋來。我也曾勉強想想，勉強想寫，但到底還是白費！可怕是這心靈驟然的呆頓。完全死了不成？我自己在疑惑。

說來是時局也許有關係。我到京幾天就逢着空前的血案。五卅事件發生時我正在意大利山中，採茉莉花編花籃兒玩，翡冷翠山中只見明星與流螢的交喚，花香與山色的温存，俗氛是吹不到的。直到七月間到了倫敦，我才理會國內風光的慘淡，等得我趕回來時，設想中的激昂，又早變成了明日黃花，看得見的痕跡只有滿城黃牆上墨彩斑斕的「泣告」！

這回卻不同。屠殺的事實不僅是在我住的城子裏發見，我有時竟覺得是我自己的靈府裏的一個慘象。殺死的不僅是青年們的生命，我自己的思想也彷彿遭着了致命的打擊，比是國務院前的斷脛殘肢，再也不能回復生動與連貫。但這深刻的難受在我是無名的，是不能完全解釋的。這回事變的奇慘性引起憤慨與悲切是一件事，但同時我們也知道在這根本起變態作用的社會裏，什麼怪誕的情形都是可能的。屠殺無辜，還不是年來最平常的現象。自從內戰糾結以來，在受戰禍的區域內，那一處村落不曾分到過遭姦污的女性，屠殘的骨肉，供犧牲的生命財產？這無非是給冤氛團結的地面上多添一團更集中更鮮豔的怨毒。再說那一個民族的解放史能不濃濃的染着 Martyrs 的腔血？俄國革命的開幕就是二十年前冬宮的血景。只要我們有識力認定，有膽量實行，我們理想中的革命，這回羔羊的血就不會是白塗的。所以我個人的沉悶決不完全是這回慘案引起的感情作用。

愛和平是我的生性。在怨毒，猜忌，殘殺的空氣中，我的神經每每感受一種不可名狀的壓迫。記得前年奉直戰爭時我過的那日子簡直是一團黑漆，每晚更深時，獨自抱着腦殼伏在書桌上受罪，彷彿整個時代的沉悶蓋在我的頭頂——直到寫下了『毒藥』那幾首不成形的咒詛詩以後，我心頭的緊張才漸漸的鬆和下去。這回又有同樣的情形；只覺着煩，只覺着悶，感想來時只是破碎，筆頭只是笨滯。結果身體也不舒暢，像是蠟油塗抹住了全身毛竅似的難過，一天過去了又是一天，我這裏又在重演更深獨坐箍緊腦殼的姿勢，窗外皎潔的月光，分明是在嘲諷我內心的枯窘！

不，我還得往更深處挖。我不能叫這時局來替我思想驟然的呆頓負責，我得往我自己生活的底裏找去。

平常有幾種原因可以影響我們的心靈活動。實際生活的牽掣可以封去我們心靈所需要的閒暇，積成一種壓迫。在某種熱烈的想望不曾得滿足時，我們感覺精神上的煩悶與焦躁，失望更是顛覆內心平衡的一個大原因；較劇烈的種類可以麻痺我們的靈智，淹沒我們的理性。但這些都合不上我的病源；因為我在實際生活裏已經得到十分的幸運，我的潛在意識裏，我敢說不該有什麼壓着的欲望在作怪。

但是在實際上反過來看，另有一種情形可以阻塞或是減少你心靈的活動。我們知道舒服，健康，幸福，是人生的目標，我們因此推想我們痛苦的起點是在望見那些目標而得不到的時候。我們常聽人說『假如我像某人那樣生活無憂我一定可以好好的做事，不比現在整天的精神全化在瑣碎的煩惱上。』我們又聽說『我不能做事就為身體太壞，若是精神來得，那就……』我們又常常設想幸福的境界，我們想『只要有一個意中人在跟前那我一定奮發，什麼事做不到？』但是不，在事實上，舒服，健康，幸福，不但不一定是幫助或獎勵心靈生活的條件，它們有時正得相反的效果。我們看不起有錢人，在社會上得意人，肌肉過分發展的運動家，也正在此；至於年少人幻想中的美滿幸福我敢說等得當真有了紅袖添香，你的書也就讀不出所以然來，且不說什麼在學問上或藝術上更認真的工作。

那末生活的滿足是我的病源嗎？

『在先前的日子，』一個真知我的朋友，就說：『正為是你生活不得平衡，正為你有欲望不得滿足，你的壓在內裏的 Libido 就形成一種昇華的現象，結果你就借文學來發洩你生理上的鬱結；（你不常說你從事文學是一件不預期的事嗎？）這情形又容易在你的意識裏形成一種虛幻的希望，因為你的寫作得到一部分讚許，你就自以為確有相當創作的天賦以及獨立思想的能力。但你祇是自寵自，實在你並沒有什麼超人一等的天賦，你的設想多半是虛榮，你的以前的成績只是昇華的結果。所以現在等得你生活換了樣，感情上有了安頓，你就發見你向來寫作的來源頓呈萎縮甚至枯竭的現象；而你又不願意承認這情形的實在，妄想到你身子以外去找你思想枯窘的原因，所以你就不由的感到深刻的煩悶。你只是對你自己生氣不甘心承認你自己的本相。不，你原來並沒有三頭六臂的！

『你對文藝並沒有真興趣，對學問並沒有真熱心。你本來沒有什麼更高的志願，除了相當合理的生活，你只配安分做一個平常人，享你命裏鑄定的「幸福」；在事業界，在文藝創作界，在學問界內，全沒有你的位置，你眞的沒有那能耐。不信你只要自問在你心裏的心裏有沒有那無形的「推力」整天整夜的惱着你，逼着你，督着你，放開實際生活的全部，單望着不可捉摸的創作境界裏去冒險？是的，頂明顯的關鍵就是那無形的推力或是衝動(The Impulse)，沒有它人類就沒有科學，沒有文學，沒有藝術，沒有一切超越功利實用性質的創作。你知道在國外(國內當然也有許沒那樣多)有多少人被這無形的推力驅使着，在實際生活上變成一種離魂病性質的變態動物，不但人間所有的虛榮永遠沾不上他們的思想，就連維持生命的睡眠飲食，在他們都失了重要，他們全部的心力只是在他們那無形的推力所指示的特殊方向上集中應用。怪不得有人說天才是瘋癲；我們在巴黎倫敦不就到處碰得着這類怪人？如其他是一個美術家，惱着他的就只怎樣可以完全表現他那理想中的形體；一個線條的準確，某種色彩的調諧，在他會得比他生身父母的生死與國家的存亡更重要，更迫切，更要求注意。我們知道專門學者有終身掘墳墓的，研究蚊蟲生理的，觀察億萬里外一個星的動定的。並且他們決不問社會對於他們的勞力有否任何的認識，那就是虛榮的進路，他們是被一點無形的推力的魔鬼盡定了的。

『這是關於文藝創作的話。你自問有沒有這種情形。你也許經驗過什麼「靈感」，那也許有，但你却不要把刹那誤認作永久的，虛幻認作眞實。至於說思想與實學問的話，那也得背後有一種推力，方向許不同，性質還是不變。做學問你得有原動的好奇心，得有天然熱情的態度去做求知識的工夫。真思想家的準備，除了特強的理智，還得有一種原動的信仰；信仰或尋求信仰，是一切思想的出發點：極端的懷疑派思想也只是期望重新位置信仰的一種努力。從古來沒有一個思想家不是宗教性的。在他們，各按各的傾向，一切人生的和理智的問題是實在有的；神的有無，善與惡，本體問題，認識問題，意志自由問題，在他們看來都是含every迫性的現象，要求合理的解答——比山嶺的崇高，水的流動，愛的甜蜜更眞，更實在，更聳動。他們的一點心靈，就永遠在他們設想的一種或多種問題的周圍飛舞，旋繞，正如燈蛾之於火燄：犧牲自身來貫徹火燄中心的秘密，是他們共有的決心。

『這種慘烈的情形，你怕也沒有吧？我不說你的心幕上就沒有思想的影子；但它們怕只是虛影，像水面上的雲影，雲過影子就跟着消散，不是石上的雷痕越日久越深刻。

『這樣說下來，你倒可以安心了！因為個人最大的悲劇是設想一個虛無的境界來謊騙你自己；騙不到底的時候你就得忍受「幻滅」的莫大的苦痛。與其那樣，還不如及早認清自己的深淺，不要把不必要的負担，放上支撐不住的肩背，壓壞你自己，還難免旁人的笑話！朋友，不要迷了，定下心來享你現成的福分吧；思想不是你的分，文藝創作不是你的分，獨立的事業更不是你的分！天生扰了重担來的那也沒法想（那一個天才不是活受罪！）你是原來輕鬆的，這是多可羨慕，多可賀喜的一個發見！算了吧，朋友！』

三月二十五至四月一日

·選自自剖·

再剖

你們知道喝醉了想吐吐不出或是吐不爽快的難受不是？這就是我現在的苦惱；腸胃裏一陣陣的作惡，腥羶從食道裏往上泛，但這喉關偏跟你別紐，它捏住你，偪住你，逗着你——不，它且不給你痛快哪！前天那篇「自剖」就比是哇出來的幾口苦水，過後只是更難受，更覺着往上冒。我告你我想要怎麽樣。我要孤寂；要一個靜極了的地方——森林的中心，山洞裏，牢獄的暗室裏——再沒有外界的影響來逼迫或引誘你的分心，再不須計較旁人的意見，喝采或是嘲笑；當前唯一的對象是你自己：你的思想，你的感情，你的本性。那時它們再不會躲避，不會隱遁，不會裝作；赤裸裸的聽憑你察看，檢驗，審問。你可以放膽解去你最後的一縷遮蓋，袒露你最自憐的創傷，最掩諱的私褻。那才是你痛快一吐的機會。

但我現在的生活情形不容我有那樣一個時機。白天太忙（在人前一個人的靈性永遠是蜷縮在殼內的蝸牛，）到夜間，比如此刻，靜是靜了，人可又倦了，惦着明天的事情又不得不早些休息。阿我真羨慕我臺上放着那塊唐磚上的佛像，他在他的蓮台上瞑目坐着，什麽都搖不動他那入定的圓澄。我們只是在煩惱網裏過日子的衆生，怎敢企望那光明無礙的境界！有鞭子下來，我們躲；見好喫的，我們垂涎；聽聲響，我們着忙；逢着痛癢，我們着惱。我們是鼠，是狗，是刺蝟，是天上星星與地上泥土間爬着的蟲。那裏有工夫，即使你有心想親近你自己？那裏有機會，即使你想痛快的一吐？

前幾天也不知無形中經過幾度掙扎，才嘔出那幾口苦水，這在我雖則難受還是照舊，但多少總算是發洩。事後我私下覺着愧悔，因為我不該拿我一己苦悶的骨鯁，強讀者們陪着我吞咽。是苦水就不免薰蒸的惡味。我承認這完全是我自私的行為，不敢望想的。我唯一的解嘲是這幾口苦水的確是從我自己的腸胃裏嘔出——不是去髒水桶裏舀來的。我不曾期望同情，我只要朋友們認識我的深淺——（我的淺？）我最怕朋友們的容寵容易形成一種虛擬的期望；我這操刀自剖的一個目的，就在及早解卸我本不該扛上的担負。

是的，我還得往底裏按，往更深處剖。

最初我來編輯副刊，我有一個願心。我想把我自己整個兒交給能容納我的讀者們，我心目中的讀者們，說實話，就只這時代的青年。我覺着只有青年們的心窩裏有容我的空隙，我要傍着他們的熱血，聽他們的脈搏。我要在我自己的情感裏發見他們的情感，在我自己的思想裏反映他們的思想。假如編輯的意義只是選稿，配版，付印，拉稿，那還不如去做銀行的夥計——有出息得多。我接受編輯晨副的機會，就為這不單是機械性的一種任務。（感謝晨報主人的信任與容忍）晨副變了我的喇叭，從這管口裏我有自由吹弄我古怪的不調諧的音調它是我的鏡子，在這平面上描畫出我古怪的不調諧的形狀。我也決不掩諱我的原形：我就是我。記得我第一次與讀者們相見，就是一篇供狀。我的經過，我的深淺，我的偏見，我的希望，我都曾經再三的聲明，怕是你們早聽厭了。但起初我有一種期望是真的——期望我自己也不知那時間為什麽原因我竟有那活潑潑的一副勇氣。我宣言我自己跳進了這現實的世界，存心想來對準人生的面目認他一個仔細。我信我自己的熱心（不是知識）多少可以給我一些對敵力量的。我想拚這一天，把我的血肉與靈魂，放進這現實世界的磨盤裏去捱，鋸齒下去拉，——我就要嘗那味兒！只有這樣，我想，才可以期望我主辦的刊物多少是一個有生命氣息的東西；才可以期望在作者與讀者間發生一種活的關係；才可以期望讀者們覺着這一長條報紙與黑的字印的背後，的確至少有一個活着的人與一個動着的心，他的把握是在你的腕上，他的呼吸吹在你的臉上，他的歡喜，他的惆悵，他的迷惑，他的傷悲，就比是你自己的，的確是從一個可認識的主體上發出來的變化——是站在台上人的姿態，——不是投射在白幕上的虛影。

並且我當初也並不是沒有我的信念與理想。有我崇拜的德性，有我信仰的原則。有我愛護的事物，也有我痛疾的事物。往理性的方向走，往愛心與同情的方向走，往光明的方向走，往真的方向走，往健康快樂的方向走，往生命，更多更大更高的生命方向走——這是我那時的一點『赤子之心』。我恨的是這時代的病象，什麽都是病象：猜忌，詭詐，小巧，傾軋，挑撥，殘殺，互殺，自殺，憂愁，作偽，骯髒。我不是醫生，不會治病；我就有一雙手，趁它們活靈的時候，我想，或許可以替這時代打開幾扇窗，多少讓空氣流通些，濁的毒性的出去，清醒的潔淨的進來。

但緊接着我的狂妄的招搖，我最敬畏的一個前輩（看了我的弔劉叔和文）就給我當頭一棒；

『……既立意來辦報而且鄭重宣言「決意改變我對人的態度，」那麼自己的思想就得先磨治一番，不能單憑主覺隨便說了就算完事。迎上前去，不要又退了回來！一時的興奮，是無用的，試話越覺得響亮起勁，跳躑有力，其實即是內心的虛弱，何況說出衰頹懊喪的語氣教一般青年看了，更給他們以可怕的影響，似乎不是志摩這番挺身出馬的本意！……』

迎上前去，不要又退了回來！這一喝這幾個月來就沒有一天不在我「虛弱的內心」裏迴響。實際上自從我喊出『迎上前去』以後，即使不曾撐開了往後退，至少我自己覺不得我的腳步曾經向前挪動。今天我再不能容我自己這夢夢的下去。算清虧欠，在還算得清的時候，總比窩着渾着強。我不能不自剖。冒着「說出衰頹懊喪的語氣」的危險，我不能不利用這反省的鋒刃，劈去糾着我心身的累贅，淤積，或許這來倒有自我真得解放的希望！

想來這做人真是奧妙。我信我們的生活至少是複性的。看得見，覺得着的生活是我們的顯明的生活，但同時另有一種生活，跟着知識的開豁逐漸胚胎，成形，活動，最後支配前一種的生活，比是我們投在地上的身影，跟着光亮的增加漸漸由模糊化成清晰，形體是不可捉的，但它自有它的奧妙的存在，你動它跟着動，你不動它跟着不動。在實際生活的紛遽中我們不易辨認另一種無形的生活的並存，正如我們在陰地裏不見我們的影子；但到了某時候某境地忽的發見了它，不容否認的踵接着你的脚跟，比如你晚間步月時發見你自己的身影。它是你的性靈的或精神的生活。你覺到你有超實際生活的性靈生活的鐵傾，是你一生的一個大關鍵！你許到極遲才覺悟（有人一輩子不得機會）但你實際生活中的經歷，動作，思想，沒有一絲一屑不同時在你那跟着長成的性靈生活中留着『對證的存根，』正如你的影子不放過你的一舉一動，雖則你不注意到或看不見。

我這時候就比是一個人初次發見他有影子的情形。驚駭，訝異，迷惑，聳悚，猜疑，恍惚同時並起，在這辨認你自身另有一個存在的時候。我這輩子只是在生活的道上盲目的前衝，一時踹入一個泥潭，一時踏折一支草花，只是這無目的的奔馳；從那裏來，向那裏去，現在在那裏，該怎麼走，這些根本的問題却從不曾到我的心上。但這時候突然的，恍然的我驚覺了。彷彿是一向跟着我形體奔波的影子忽然阻住了我的前路，責問我這匆匆的究竟是為什麼！

一種新意識的誕生。這來我再不能盲衝，我至少得認明來蹤與去跡，該怎樣走法如其有目的地，該怎樣準備如其前程還在遙遠？

阿，我何嘗願意吞這果子，早知有這多的麻煩！現在我第一要考查明白的是這『我』究竟是怎麼一回事；然後再決定掉落在這生活道上的『我』的趕路方法。以前種種動作是沒有這新意識作主宰的；此後，什麼都得由它。

四月五日

·選自自剖。

想飛

假如這時候窗子外有雪——街上，城牆上，屋脊上，都是雪，胡同口一家屋簷下偎着一個戴黑兜帽的巡警，半攏着睡眼，看棉團似的雪花在半空中跳着玩……假如這夜是一個深極了的啊，不是壁上掛鐘的時針指示給我們看的深夜，這深就比是一個山洞的深，一個往下鑽螺旋形的山洞的深……

……

假如我能有這樣一個深夜，它那無底的陰森捻起我遍體的毫管；再能有窗子外不住往下篩的雪，篩淡了遠近間颺動的市謠；篩泯了在泥道上掙扎的車輪；篩滅了腦壳中不妥協的潛流……我要那深，我要那靜。那在樹蔭濃密處躲着的夜鷹輕易不敢在天光還在照亮時出來睜眼。思想它也得等。

青天裏有一點子黑的。正衝着太陽耀眼，望不真，你把手遮着眼，對着那兩株樹縫裏瞧，黑的，有棋子來大，不，有桃子來大——嘿，又移着往西了！

我們吃了中飯出來到海邊去。（這是英國康槐爾極南的一角，三面是大西洋）。勗麗麗的叫響從我們的腳底下勻勻的往上顛，齊着腰，到了肩高，過了頭頂，高入了雲，高出了雲。啊，你能不能把一種急震的樂音想像成一陣光明的細雨，從藍天裏銜着這平鋪着青綠的地面不住的下？不，那雨點都是跳舞的小脚，安琪兒的。雲雀們也吃過了飯，離開了它們卑微的地巢飛往高處做工去。上帝給它們的工作，替上帝做的工作。瞧着，這兒一隻，裏邊又起了兩！一起就冲着天頂飛，小翅膀動活的多快活，圓圓的，不躊躇的飛，——它們就認識青天。一起就開口唱，小嗓子活動的多快活，一顆顆小精圓珠子直往外唾，亮亮的唾，脆脆的唾，——它們讚美的是青天。瞧着，這飛得多高，有豆子大，有芝蔴大，黑剌剌的一屑，直頂着無底的天頂細細的搖，——這全看不見了，影子都沒了！但這光明的細雨還是不住的下着……

飛。『其翼若垂天之雲……背負蒼天，而莫之夭閼者；』那不容易見着。我們鎮上東關廂外有一座黃泥山，山頂上有一座七層的塔，塔尖頂着天。塔院裏常常打鐘，鐘聲響動時，那在太陽西曬的時候多，一枝豔豔的大紅花貼在西山的鬢邊廻照着塔山上的雲彩，——鐘聲響動時，繞着塔頂尖，摩着塔頂天，穿着塔頂雲，有一隻兩隻有時三隻四隻有時五隻六隻蜷着爪往地面瞧的『餓老鷹，』撐開了它們灰蒼蒼的大翅膀沒掛戀似的在盤旋，在半空中浮着，在晚風中泅着，彷彿是按着塔院鐘的波盪來練習圓舞似的。那是我做孩子時的『大鵬。』有時好天抬頭不見一瓣雲的時候聽着猇憂憂的叫響，我們就知道那是寶塔上的餓老鷹尋食吃來了，這一想像半天裏禿頂圓睛的英雄，我們背上的小翅膀骨上就彷彿豁出了一鉎鉎鐵刷似的羽毛，搖起來呼呼響的，只一擺就冲出了書房門，鑽入了玳瑁鑲邊的白雲裏玩兒去，誰耐煩站在先生書桌前晃着身子背早上上的多難背的書！阿飛！不是那在樹枝上矮矮的跳着的麻雀兒的飛；不是那凑天黑從堂扁後背冲出來趕蚊子喫的蝙蝠的飛；也不是那軟尾巴軟嗓子做窠在堂檐上的燕子的飛。要飛就得滿天飛，風攔不住雲擋不住的飛。一翅膀就跳過一座山頭，影子下來遮得陰二十畝稻田的飛，到天晚飛倦了就來繞着那塔頂尖順着風向打圓圈做夢……聽說餓老鷹會抓小鷄！

飛。人們原來都是會飛的。天使們有翅膀，會飛，我們初來時也有翅膀，會飛。我們最初來就是飛了來的，有的做完了事還是飛了去，他們是可羨慕的。但大多數人是忘了飛的，有的翅膀上吊了毛不長再也飛不起來，有的翅膀叫膠水給膠住了再也拉不開，有的羽毛叫人給修短了像鴿子似的只會在地上跳，有的拿背上一對翅膀上當鋪去典錢使過了期再也贖不回……真的，我們一過了做孩子的日子就掉了飛的本領。但沒了翅膀或是翅膀壞了不能用是一件可怕的事。因為你再也飛不回去，你蹲在地上呆望着飛不上去的天，看旁人有福氣的一程一程的在青雲裏逍遙，那多可憐。而且翅膀又不比是你腳上的鞋，穿爛了可以再問媽要一雙去，翅膀可不成，折了一根毛就是一根，沒法給補的。還有，單顧着你翅膀也還不定規到時候能飛，你這身子要是不謹慎養太肥了，翅膀力量小再也拖不起，也是一樣難不是？一對小翅膀馱不起一個胖肚子，那情形多可笑！到時候你聽人家高聲的招呼說，朋友，回去罷，趁這天還有紫色的光，你聽他們的翅膀在半空中沙沙的搖響，朵朵的春雲跳過來擁着他們的肩背，望着最光明的來處翩翩的，冉冉的，輕烟似的化出了你的視域，像雲雀似的只留下一瀉光明的驟雨——"Thou art unseen, but yet I hear thy shrill delight"——那你，獨自在泥塗裏淹着，夠多難受，夠多懊惱，夠多寒傖！趁早留神你的翅膀，朋友。

是人沒有不想飛的。老是在這地面上爬着夠多厭煩，不說別的。飛出這圈子，飛出這圈子！到雲端裏去，到雲端裏去！那個心裏不成天千百遍的這麼想？飛上天空去浮着，看地球這彈丸在大空裏滾着，從陸地看到海，從海再看回陸地。凌空去看一個明白——這才是做人的趣味，做人的權威，做人的交代。這皮囊要是太重挪不動，就擲了它，可能的話，飛出這圈子，飛出這圈子！

人類初發明用石器的時候，已經想長翅膀。想飛。原人洞壁上畫的四不像，它的背上掮着翅膀；拏着弓箭趕野獸的，他那肩背上也給安了翅膀。小愛神是有一對粉嫩的肉翅的。挨開拉斯（Icarus）是人類飛行史裏第一個英雄，第一次犧牲。安琪兒（那是理想化的人）第一個標記是幫助他們飛行的翅膀。那也有沿革——你看西洋畫上的表現。最初像是一對小精緻的令旗，胡蝶似的粘在安琪兒們的背上，象眞的，不靈動的。漸漸的翅膀長大了，地位安準了，毛羽豐滿了。畫圖上的天使們長上了眞的可能的翅膀。人類初次實現了翅膀的觀念，徹悟了飛行的意義。挨開拉斯閃不死的靈魂，回來投生又投生。人類最大的使命，是製造翅膀；最大的成功是飛！理想的極度，想像的止境，從人到神！詩是翅膀上出世的；哲理是在空中盤旋的。飛：超脫一切，籠蓋一切，掃盪一切，吞吐一切。

你上那邊山峯頂上試去，要是度不到這邊山峯上，你就得到這萬丈的深淵裏去找你的葬身地！「這人形的鳥會有一天試他第一次的飛行，給這世界驚駭，使所有的著作讚美，給他所從來的棲息處永久的光榮。」啊達文騫！

但是飛？自從挨開拉斯以來，人類的工作是製造翅膀，還是束縛翅膀？這翅膀，承上了文明的重量，還能飛嗎？都是飛了來的，還都能飛了回去嗎？鉗住了，烙住了，壓住了，——這人形的鳥會有試他第一次飛行的一天嗎……

同時天上那一點子黑的已經迫近在我的頭頂，形成了一架鳥形的機器，忽的機沿一側，一球光直往下注，硼的一聲炸響，——炸碎了我在飛行中的幻想，青天裏平添了幾堆破碎的浮雲。

十四——十六日

·選自〔自剖〕·

「迎上前去」

這回我不撒謊，不打隱謎，不唱反調，不來烘托；我要說幾句至少我自己信得過的話，我要痛快的招認我自己的虛實，我願意把我的花押畫在這張供狀的末尾。

我要求你們大量的容許准我在我第一天接手晨報副刊的時候，介紹我自己，解釋我自己，鼓勵我自己。

我相信真的理想主義者是受得住眼看他往常保持着的理想萎成灰，碎成斷片，爛成泥，在這灰這斷片這泥的底裏他再來發現他更偉大更光明的理想。我就是這樣的一個。

只有信生病是榮耀的人們才來不知恥的高聲嚷痛；這時候他聽着有脚步聲，他以為有幫助他的人向着他來，誰知是他自己的靈性離了他去！真有志氣的病人，在不能自己豁脫苦痛的時候，寧可死休，不來忍受醫藥與慈善的侮辱。我又是這樣的一個。

我們在這生命裏到處碰頭失望，連續遭逢「幻滅」，頭頂只見烏雲，地下滿是黑影；同時我們的年歲，病痛，工作，習慣，惡狠狠的壓上我們的肩背，一天重似一天，在無形中嘲諷的呼喝着，『倒，倒，你這不量力的蠢才！』因此你看這滿路的倒尸，有全死的，有半死的，有爬着掙扎的，有默無聲息的……嘿！生命這十字架，有幾個人抗得起來？

但生命還不是頂重的担負，比生命更重實更壓得死人的是思想那十字架。人類心靈的歷史裏能有幾個天成的盖貢烏育？在思想可怕的戰場上我們就只祇有數得清有限的幾具光榮的屍體。

我不敢非分的自詩；我不夠狂，不夠妄。我認識我自己力量的止境，但我卻不能制止我看了這時候國內思想界萎靡現象的憤懣與羞惡。我要一把抓住這時代的腦袋，問他要一點眞思想的精神給我看看——不是借來的稅來的冒來的描來的東西，不是紙糊的老虎，搖頭的傀儡，蜘蛛網幕面的偶像；我要的是筋骨裏迸出來，血液裏激出來，性靈裏逃出來．生命裏震盪出來的眞純的思想。我不來問他要，是我的懦怯；他拿不出來給我看，是他的恥辱。朋友，我要你選定一邊，假如你不能站在我的對面，拿出我要的東西來給我看，你就得站在我這一邊，幫着我對這時代挑戰。

我預料有人笑罵我的大話。是的，大話。我正嫌這年頭的話太小了，我們得造一個比小更小的字來形容這年頭聽着的說話，寫下印成的文字；我們得請一個想像力細緻如史魏夫脫（Dean Swift）的來描寫那些說小話的小口，說尖話的尖嘴。一大羣的食蟻獸！他們最大的快樂是忙着他們的尖喙在泥土裏鑿尋細微的螞蟻。螞蟻是吃不完的，同時這可笑的尖嘴卻益發不住的向尖的方向進化，小心再隔幾代連螞蟻這食料都顯太大了！

我不來談學問，我不配，我書本的知識是眞的十二分的有限。年輕的時候我念過幾本極普通的中國書，這幾年不但沒有知新，溫故都說不上，我實在是固陋，但我卻抱定孔子的一句話『知之爲知之，不知為不知，是知也，」決不來強不知為知；我並不看不起國學與研究國學的學者，我十二分的尊敬他們，只是這部分的工作我只能豔羨的看他們去做，我自己恐怕不但今天，竟許這輩子都沒希望參加的了。外國書呢？看過的書雖則有幾本，但是真說得上「我看過的」能有多少，說多一點，三兩篇戲，十來首詩，五六篇文章，不過這樣罷了。

科學我是不懂的，我不曾受過正式的訓練，最簡單的物理化學，都說不明白，我要是不預備就去考中學校，十分裏有九分是落第，你信不信！天上我只認識幾顆大星，地上幾棵大樹，這也不是先生教我從的；先生那裏學來的，十幾年學校教育給我的，究竟有些什麽，我實在想不起，說不上，我記得的只是幾個教授可笑的嘴臉與課堂裏強烈的催眠的空氣。

我人事的經驗與知識也是同樣的有限，我不曾做過工；我不曾嘗味過生活的艱難，我不曾打過仗，不曾坐過監，不曾進過什麽秘密黨，不曾殺過人，不曾做過買賣，發過一個大的財。

所以你看，我只是個極平常的人，沒有出人頭地的學問，更沒有非常的經驗。但同時我自信我也有我與人不同的地方。我不曾投降這世界。我不受它的拘束·

我是一隻沒籠頭的野馬，我從來不曾站定過。我人是在這社會裏活着，我却不是這社會裏的一個，像是有離魂病似的，我這軀殼的動靜是一件事，我那夢魂的去處又是一件事。我是一個傻子：我曾經妄想在這流動的生裏發現一些不變的價值，在這打謊的世上尋出一些不磨滅的真，在我這靈魂的冒險是生命核心裏的意義；我永遠在無形的經驗的巉巖上爬着。

冒險——痛苦——失敗——失望，是跟着來的，存心冒險的人就得打算他最後的失望；但失望却不是絕望，這分別很大。我是曾經遭受失望的打擊，我的頭是流着血，但我的頸子還是硬的；我不能讓絕望的重量壓住我的呼吸，不能讓悲觀的慢性病侵蝕我的精神，更不能讓厭世的惡質染黑我的血液。厭世觀與生命是不可並存的；我是一個生命的信徒，初起是的，今天還是的，將來我敢說也是的。我决不容忍性靈的頹唐，那是最不可救藥的墮落，同時却繼續軀壳的存在；在我單這開口說話，提筆寫字的事實就表示後背有一個基本的信仰，完全的沒破綻的信仰；否則我何必再做什麽文章，辦什麽報刊？

但這並不是說我不感受人生遭遇的痛創；我决不是那童騃性的樂觀主義者；我决不來指着黑影說這是陽光，指着雲霧說這是青天，指着分明的惡說這是善；我並不否認黑影，雲霧與惡，我只是不懷疑陽光與青天與善的實在；暫時的掩蔽與侵蝕不能使我們絕望，這正應得加倍的激動我們尋求光明的决心。前幾天我覺着異常懊喪的時候無意中翻着尼采的一句話，極簡單的幾個字却涵有無窮的意義與強悍的力量，正如天上星斗的縱橫與山川的經緯，在無聲中暗示你人生的奧義，袪除你的迷惘，照亮你的思路，他說『受苦的人沒有悲觀的權利』(The suffer has no right to pessimism)我那時感受一種異樣的驚心，一種異樣的澈悟：——

我不辭痛苦因為我要認識你，上帝；
我甘心，甘心在火燄裏存身，
到最後那時辰見我的真，
見我的真，我定了主意，上帝，再不遲疑！

所以我這次從南邊回來決意改變我對人生的態度，我寫信給朋友說這來要來認真做一點『人的事業』了。——

我再不想成仙，蓬萊不是我的分；
我只要這地面，情願安分的做人。

在我這「決心做人，決心做一點認真的事業」是一個思想的大轉變；因為先前我對這人生只是不調和不承認的態度，因此我與這現世界並沒有什麼相互的關係，我是我，它是它，它不能責備我，我也不來批評它。但這來我決心做人的宣言卻就把我放進了一個有關係，負責任的地位，我再不能張着眼睛做夢，從今起得把現實當現實看我要來察看我要來檢查我要來清除我要來顛撲，我要來挑戰，我要來破壞。

人生到底是什麼？我得先對我自己給一個相當的答案。人生究竟是什麼？為什麼這形形色色的，紛擾不清的現象——宗教，政治，社會，道德，藝術，男女，經濟？我來是來了，可還是一肚子的不明白，我得慢慢的看古玩似的，一件件拿在手裏看一個清切再來說話，我不敢保證我的話一定在行，我敢擔保的只是我自己思想的忠實；我前面說過我的學識是極淺陋的，但我卻並不因此自餒，有時學問是一種束縛，知識是一層障礙，我只要能信得過我能看的眼，能感受的心，我就有我的話說；至於我說的話有沒有人聽，有沒有人懂，那是另外一件事我管不着了——「有的人身死了才出世的，」誰知道一個人有沒有眞的出世那一天？

是的，我從今起要迎上前去！生命第一個消息是活動，第二個消息是搏鬥，第三個消息是決定；思想也是的，活動的下文就是搏鬥。搏鬥就包含一個搏鬥的對象，許是人，許是問題，許是現象，許是思想本體。一個武士最大的期望是尋着一個相當的敵手，思想家也是的，他也要一個可以較量他充分的力量的對象，「攻擊是我的本性，」一個哲學家說，「要與你的對手相當——這是一個正直的決鬥的第一個條件。你心存鄙夷的時候你不能搏鬥。你占上風，你認定對手無能的時候你不應當搏鬥。我的戰略可以約成四個原則：——第一，我專打正占勝利的對象——在必要時我暫緩我的攻擊等他勝利了再開手。第二，我專打沒有人打的對象，我這邊不會有助手，我單獨的站定一邊——在這搏鬥中我難為的只是我自己。第三，我永遠不來對人的攻擊——在必要時我只拿一個人格當顯微鏡用，借它來顯出某種普遍的，但卻隱遁不易蹤跡的惡性。第四，我攻擊某事物的動機，不包含私人嫌隙的關係，在我攻擊是一個善意的，而且在某種情況下，感恩的憑證。」

這位哲學家的戰略，我現在僭引作我自己的戰略，我盼望我將來不至於在搏鬥的沉酣中忽略了預定的規律；萬一疏忽時我懇求你們隨時提醒。我現在戴我的手套去！

·選自自剖·

悼沈叔薇

（沈叔薇是我的一個表兄，從小同學，高小中學（杭州一中）都是同班畢業的，他是今年九月死的）

叔薇，你竟然死了，我常常的想着你，你是我一生最密切的一個人，你的死是我的一個不可補償的損失。我每次想到生與死的究竟時，我不定覺得生是可欲，死是可悲，我自己的經驗與默察只使我相信生的底質是苦不是樂，是悲哀不是幸福，是淚不是笑，是拘束不是自由；因此從生入死，在我有時看來，只是解化了實體的存在，脫離了現象的世界，你原來能辨別苦樂，忍受磨折的性靈，在這最後的呼吸離竅的俄頃，又投入了一種異樣的冒險。我們不能輕易的斷定那一邊沒有陽光與人情的溫慰，亦不能設想苦痛的滅絕。但生死間終究有一個不可掩諱的分別，不論你怎樣的看法。出世是一件大事，死亡亦是一件大事。一個嬰兒出母胎時他便與這生的世界開始了關係，這關係却不能隨着他去後的軀殼埋掩，這一生與一死，不論相間的距離怎樣的短，不論他生時的世界怎樣的仄——這一生死便是一個不可銷毀的事實，比如海水每多一次潮漲，海灘便多受一次泛濫，我們全體的生命的灘沙裏，我想，也存記着最微小的波動與影響……

而況我們人又是有感情的動物，在你活着的時候，我可以攜着你的手，談我們的談，笑我們的笑，一同在野外仰望天上的繁星，或是共感秋風與落葉的悲涼……叔薇，你這幾年雖則與我不易相見，雖則彼此處世的態度更不如童年時的一致，但我知道，我相信在你的心裏還留着一部分給我的情意，因為你也在我的胸中永占着相當的關切。我忘不了你，你也忘不了我。每次我回家鄉時，我往往在不曾解卸行裝前已經亟亟的尋求，欣欣的重溫你的伴侶。但如今在你我間的距離，不再是可以度量的里程，却是一切距離中最遼遠的一種距離——生與死的距離。我下次重歸鄉土，再沒有機會與你攜手談笑，再不能與你相與恣縱早年的狂態，我再到你們家去，至多只能撫摩你的寂寞的靈幃，仰望你的慘淡的遺容，或是手拿一把鮮花到你的墳前憑弔！

叔薇，我今晚在北京的寓裏，在一個冷靜的秋夜，傾聽着風催落葉的秋聲，咀嚼着為你興起的哀思，這幾行文字，雖則是隨意寫下，不成章節，但在這舒寫自來情感的俄頃，我彷彿又一度接近了你生前溫馴的，諧趣的人格，彷彿又見着了你瘦臉上的枯澀的微笑——比在生前更諧合的更密切的接近。

我沒有多少的話對你說，叔薇，你得寬恕我；當你在世時我們亦很少相互磬吐的機會。你去世的那一天我來看你：那時你的頭上，你的眉目間，已經刻畫着死的晦色，我叫了你一聲叔薇，你也從枕上側面來回叫我一聲志摩，那便是我們在永別前最後的緣分！我永遠忘不了那時病榻前的情景！

我前面說生命不定是可喜，死亦不定可畏：叔薇，你的一生尤其不曾嘗味過生命裏可能的樂趣，肆則你是天生的達觀，從不曾羨慕虛榮的人間；你如其繼續的活着，支撑着你的多病的筋骨，委蛇你無多沾戀的家庭，我敢說這樣的生轉不如撒手去了的乾淨！況且你生前至愛的骨肉亦久已不在人間，你的生身的爹娘，你的過繼的爹娘（我的姑母）你的姊姊——可憐娟姊，我始終不曾一度憑弔——還有你的愛妻他們都在墳墓的那一邊滿開着他們天倫的懷抱守候着他們最愛的「老五」共享永久的安閑……

十一月一日早三時你的表弟志摩

・選自自剖・

吊劉叔和

一向我的書桌上是不放相片的。這一月來有了兩張，正對我的坐位，每晚更深時就只他們倆看着我寫，伴着我想；院子裏偶爾聽着一聲清脆，有時是蟲，有時是風捲敗葉，有時我想像，是我們親愛的故世人從墳墓的那一邊吹過來的消息。伴着我的一個是小，一個是「老」：小的就是我那三月間死在柏林的彼得，老的是我們鍾愛的劉叔和，「老老。」彼得坐在他的小皮椅上，抿緊着他的小口，圓睜着一雙秀眼，彷彿性急要媽拿糖給他吃，多活靈的神情！但是他右肩的空白上分明題着這幾行小字：「我的小彼得，你在時我沒福見你，但你這可愛的遺影應該可以伴我終身了。」老老是新長上幾根看得見的上唇鬚，在他那件常穿的緞褂裏欠身坐着，嚴正在他的眼內，和靄在他的口頜間。

讓我來看。有一天我邀他吃飯，他來電說病了不能來，順便在電話中他說起我的彼得。（在襁褓時的彼得，叔和在柏林也曾見過。）他說我那篇悼兒文做得不壞；有人素來看不起我的筆墨的，他說，這回也相當的贊許了。我此時還分明記得他那天通電時着了寒發沙的嗓音！我當時回他說多謝你們誇獎，但我卻覺得悽慘，因為我同時不能忘記那篇文字的代價，是我自己的愛兒。過了幾天適之來說『老老病了，並且他那病相不好，方才我去看他，他說適之我的日子已經是可數的了。』他那時住在皮宗石家裏。我最後見他的一次，他已在醫院裏。他那神色真是不好，我出來就對人講，他的病中醫叫作濕癌，並且我分明認得它，他那眼內的鈍光，面上的澀色，一年前我那表兄沈叔薇彌留時我曾經見過：——可怕的認識，這侵蝕生命的病徵。可憐少鰥的老者，這時候病榻前竟沒有溫存的看護；我與他說笑「至少在病苦中有妻子畢竟強似沒妻子，老者，你不懊喪續絃不及早嗎？」那天我喂了他一餐，他實在是動彈不得；但我向他道別的時候，我真為他那無告的情形不忍。（在客地的單身朋友們，這是一個切題的教訓，快些成家，不要過於挑剔了吧；你放平在病榻上時才知道沒有妻子的悲慘！——到那時，比如叔和，可就太晚了。）

叔和沒了。但為你，叔和，我卻不曾掉淚。這年頭也不知怎的，笑自難得，哭也不得容易。你的死當然是我們的悲痛，但轉念這世上慘淡的生活其實是無可沾戀，趁早隱了去，誰說一定不是可羨慕的幸運？況且近年來我已經見慣了死，我再也不覺着它的可怕。可怕是這煩囂的塵世：蛇蝎在我們的腳下，鬼祟在市街上，霹靂在我們的頭頂，噩夢在我們的周遭。在這偉大的迷陣中，最難得的是遺忘；只有在簡短的遺忘時我們才有機會恢復呼吸的自由與心神的愉快。誰說死不就是個悠久的遺忘的境界？誰說墓窟不就是真解放的進門？

但是隨你怎樣看法，這生死間的隔絕，終究是個無可奈何的事實，死去的不能復活，活着的不能到墳墓的那一邊去探望。到絕海裏去探險我們得合夥，在大漠裏游行我們得結伴，我們到世上來做人，歸根說，還不只是惴惴的來尋訪幾個可以共患難的朋友，這人生有時比絕海更凶險，比大漠更荒涼，要不是這點子友于的同情我第一個就不敢向前邁步了。叔和真是我們的一個。他的性情是不可信的溫和：『頂好說話的老老；』但他每當論事，却又絕對的不苟同，他的議論，在他起勁時，就比如山壑間雨後的亂泉，石塊壓不住它，蔓草掩不住它。誰不記得他那永遠帶傷風的嗓音，他那永遠不平衡的肩背，他那怪樣的激昂的神情？通伯在他那篇『劉叔和』裏說起當初在海外老老與傅孟真的豪辯，有時竟連『呐呐不多言』的他也『免不了加入他們的戰隊。』這三位衣常敝，履無不穿的『大賢』在倫敦東南隅的陋巷，點煤汽油燈的斗室裏，真不知有多少次借光柏拉圖與盧騷與斯賓塞的迷力，欺騙他們告空虛的腸胃——至少在這一點他們三位是一致同懲的！但通伯却忘了告訴我們他自己每回加入戰團時的特別情態，我想我應得替他補白。我方才用亂泉比老老，但我應得說他是一竄野火，燄頭是斜着去的；傅孟真，不用說，更是一竄野火，更猖獗，燄頭是斜着來的；這一去一來就發生了不得開交的衝突。在他們最不得開交時，劈頭下去了一剪冷水，兩竄野火都吃了驚，暫時解了回去。那，一剪冷水就是通伯；他是出名澆冷水的聖手。

阿，那些過去的日子！枕上的夢痕，秋霧裏的遠山。我此時又想起了初度太平洋與大西洋時的情景了。我與叔和同船到美國，那時還不熟；後來同在紐約一年，差不多每天會面的，但最不可忘的是我與他同渡大西洋的日子。那時我正迷上尼采，開口就是那一套沾血腥的字句。

我彷彿跟着查拉圖斯脫拉登上了哲理的山峯，高空的清氣在我的肺裏，雜色的人生橫亙在我的眼下。船過必司該海灣的那天，天時驟然起了變化：岩片似的黑雲一層層累疊在船的頭頂，不漏一縷天光，海也整個翻了，這里一座高山，那邊一個深谷，上騰的浪尖與下垂的雲爪相互的糾拏着；風是從船的側面來的，夾着鐵梗似粗的暴雨，船身左右側的傾欹着。這時候我與叔和在水發的甲板上往來的走，——那裏是走，簡直是滾，多強烈的震動？霎時間雷電也來了，鐵青的雲板裏飛舞着萬道金蛇，濤響與雷聲震成了一片喧鬧，大西洋險惡的威嚴在這風暴中盡情的披露了，『人生，』我當時指給叔和說，『有時還不止這凶險，我們有胆量進去嗎？』那天的情景益發激動了我們的談興，從風起直到風定，從下午直到深夜，我分明記得，我們倆在沈酣的論辯中還忘了一切。

今天國內的狀況不又是一幅大西洋的天變？我們有膽量進去嗎？難得是少數能共患難的旅伴；叔和，你是我們的一個，如何你等不得浪靜就與我們永別了？叔和，說他的體氣，早就是一個弱者；但如其一個不堅強的體殼可以包容一團堅強的精神，叔和就是一個例。叔和生前沒有仇人，他不能有仇人；但他自有他不能容忍的對象：他恨混殽的思想，他恨骯髒的人事。他不輕易鬥爭；但等他認定了對敵出手時，他是最後回頭的一個。叔和，我今天又走上了暴風雨中的甲板，我不能不悼惜我侶伴的空位！

十月十五日

・選自自剖・

輪盤

好冷！倪三小姐從暖屋裏出來站在廊前等車的時候覺着風來得尖厲。她一手揝着皮領擭着臉，脚在地上微微的點着。『有幾點了，阿姚？』三點都過了。

三點都過了，三點……這念頭在她的心上盤着，有一粒白丸在那裏運命似的跳。就不會跳進二十三的，偏來三十五，差那麼一點，我還當是二十三哪。要有一隻鬼手拿它一撥，叫那小丸子乖乖的坐上二十三，那分別多大！我本來是想要三十五的，也不知怎麼的當時心裏那麼一迷糊——又給下錯了。這車裏怎麼老是透風，阿姚？阿姚很願意為主人替風或是替車道歉，他知道主人又是不順手，但他正忙着大拐灣，馬路太滑，紅綠燈光又耀着眼，那不能不留意，這一岔就把答話的時機給岔過了。實在他的思想也不顯簡單，他正有不少的話想對小姐說，誰家的當差不為主人打算，況且聽昨晚阿寶的話這事情正不是玩兒——好，房契都抵了，鑽戒，鑽鐲，連那串精圓的珍珠項圈都給換了紅片兒白片兒整數零數的全望莊上送！打不倒吃不厭的莊！

三小姐覺得冷。是那兒透風，那天也沒有今天冷。最覺得異樣，最覺得空虛，最覺得冷是在頸根和前胸那一圈。精圓的珍珠——誰家都比不上的那一串，帶了整整一年多，有時上床都不捨得裁了放回匣子去，叫那臉上刮着刀疤那醜洋鬼端在一隻黑毛手裏左輪右輪的看，生怕是吃了假的上當似的，還非得讓我簽字，才給換了那一擲圓片子，要不了一半點鐘那些片子還不是白鴿似的又往回飛；我的脖子上，胸前，可是沒了，跑了，化了，冷了，眼看那黑毛手搶了我的心愛的寶貝去，這寃……三小姐心窩裏覺着一塊冰涼，眼眶裏熱刺刺的，不由的拿手絹給掩住了。『三兒，東西總是你的，你看了也捨不得放手不是？可是娘給你放着不更好，這年頭又不能常戴，一來太耀眼，二來你老是那拉拖的脾氣改不過來，說不定你一不小心那怎麼好？』老太太咳嗽了一聲。『還是讓娘給你放着吧，反正東西總是你的。』三小姐心都裂縫兒了。娘說話不到一年就死了，我還說我天天貼胸帶着表示紀念她老人家的意思，誰知不到半年……

車到了家了。三小姐上了樓，進了房，開亮了大燈，拿皮大衣向沙發上一扔，也不答阿寶陪着笑問她輸贏的話，站定在衣櫃的玻鏡前對着自己的映影呆住了。這算個什麼相兒？這還能是我嗎？兩臉紅的冒得出火，顴骨亮的像透明的琥珀，一鼻子的油，口脣叫煙捲燒得透紫，像煨白薯的焦皮，一對眼更看得惱人，像是有一個惡鬼躲在裏面似的。三小姐一手掠着額前的散髮，一手扶着櫃子，覺得頭腦裏一陣的昏，眼前一黑，差一點不曾叫腦殼子正對着鏡裏的那個碰一個脆。你累了吧，小姐？阿寶站在窗口疊着大衣說的話，她聽來像是隔兩間屋子或是一層霧叫過來似的，但這却幫助她定了定神，重復睜大了眼對着鏡子裏癡癡的望。這還能是我——是倪秋雁嗎？鬼附上了身也不能有這相兒！但這時候她眼內的凶光——那是整六個鐘頭輪盤和壓碼條格的煎迫的餘威——已然漸漸移讓給另一種意態：一種疲倦，一種呆頓，一種空虛。她忽然想起馬路中的紅燈照着道旁的樹榦使她記起不少早已遺忘了的片段的夢境——但她疲倦是眞的。她覺得她早已睏着了。她是絕無知覺的一堆灰；一排本料，在清晨樹梢上浮掛着的一團煙霧。她做過一個極幽深的夢，夢使得她因為過分興奮而陷入一種最沈酣的睡。她決不能是醒着。她的珍珠當然是好好的在首飾匣子裏放着。『我替你放着不更好，三兒？』娘的話沒有一句不充滿着憐愛，個個字都聽得甜。那小白丸子眞可惡，他為什麼不跳進二十三？三小姐扶着櫃子那隻手的手指摸着了玻璃，極纖微的一點涼感從指尖上直透到心口，這使她形影相對的那兩隻眼內頓時剝去了一層夢意。小姐，喝口茶罷，你眞是累了，該睡了，有多少天你沒有睡好，睡不好最傷神，先喝口茶吧。她從阿寶的手裏接過了一片殷動，熱茶沾上口唇才覺得口渴得津液都乾了。但她還是夢夢的不能相信這不是夢。我何至於墮落到如此——我倪秋雁？你不是倪秋雁嗎？她責問着鏡裏的秋雁。那一個的手裏也擎着一個金邊藍花的茶杯，口邊描着慘澹的苦笑。荒唐也不能到這個田地，為着賭錢於拿身子給鬼似的男子——『你抽一口的好，賭錢就賭一個精神，你看你眼裏的紅絲，鬧病了那犯得着？』小俞最會說那一套體己話，細着一雙有黑圈的眼耽着你，不提有多麼關切，他就會那一套！那天他對老五也是說一樣的話！他還得用手來攙着你非得你養息他才安心似的。啞，男人，那有什麼好心眼的？老五早就上了他的當。哼，也不是上當，還不是老五自己尋的，『進了三十六，誰還管得了美，管得了醜？』『過一天是一天，』她又說，『堵死你的心，別讓它有機會想要想就活該你受！」那天我摘下我胸前那串珠子遞給那臉上刻着刀疤的黑毛鬼，老五還帶着笑——她那笑！——趕過來拍着我的肩膀說「好，這才夠一個豪字！要賭就得拚一個精光。有什麽可戀的？上不了梁山，咱們就落太湖！你就輸在你的良心上，老三。」老五說話一上勁，眼裏就放出一股邪光，我看了真害怕。「你非得拿你小姐的身分，一點也不肯湊和。說實話，你來得三十六門，就由不得你拿什麽身分。」人真會變；五年前，就是三年前的老五，那有一點子俗氣，說話舉止，滿是夠斯文的。誰想她在上海混不到幾年，就會變成這鬼相，這妖氣。她也滿不在意，成天發瘋似的混着，倒像真是一個快活人！我初次跟着她跑，心上總有些低哆，話聽不慣，樣兒看不慣，可是現在……老三與老五能有多大分別？我的行為還不是她的行為？我有時還覺得她爽蕩得有趣，倒恨我自己老是免不了靦靦覥覥的，早晚躲不了一個「良心」，老五說的。可還是的，你自己還不夠變的，你着看你自己的眼看，說人家鬼相，妖氣，你自己呢？原先的我；在母親身邊的孩子，在學校時代的倪秋雁，多美多響亮的一個名字，現在那還有一點點的影子？這變，蹉鬼——三小姐打了一個寒噤。地獄怕是沒有底的，我這一往下沈，沈，沈，我那天再能向上爬？她覺得身子飄飄的，心也飄飄的，直往下墜——一個無底的深潭，一個魔鬼的大口。「三兒，你什麽都好，」老太太又說話了。「你什麽都好，就差拿不穩主意。你非得有人管，領着你向上。可是你總得自己留意，娘又不能老看着你，你又是那傲氣，誰你都不服，真叫我不放心。」娘在病中喘着氣還說這話。現在娘能放心不？不想起真可恨！小俞，小張，老五，老八，全不是東西！可是我自己又何嘗有主意，有了主意，有一點子主意，就不會有今天的狼狽。眞氣人！……鏡裏的秋雁現出無限的憤慨，恨不得把手裏的茶盃擲一個粉碎，表示和醜惡的引誘絕交。但她又呷了一口。這是虹口買來的眞鐵觀音不明兒再買一點去，味兒眞濃眞香。說起，小姐，廚子說了好幾次要領錢哪，他說他自己的錢都墊完了。鏡裏的眉梢又深深的緲上了。哨——她忽然記起了——那小黃呢，阿寶？小黃在籠子裏睡着了。毛抖得鬆鬆的，小腦袋挨着小翅膀底下窩着。他今天叫了沒有？我眞是昏，準有十幾天不自己喂他了，可憐的小黃！小黃也眞知趣，彷彿裝着睡成心逗他主人似的，她們正說着話它醒了，刷着他的肢膀，吱的一聲跳上了籠絲，又跳過去低頭到小磁罐裏檢了一口凉水，歪着一隻小眼歎歎的直聽着他的主人。也不知是爲主人記起了它樂了，還不知是見了大燈亮當是天光它簡直的放開嗓子盤套的唱上了。

它這一唱就沒有個完。它賣弄着它所有擅長的好腔。唱完了一支，忙着搶一口麵包屑，啄一口水，再來一支，又來一支，直唱得一屋子滿是他的音樂，又亮，又豔，一團快樂的迸裂，一腔情熱的橫流，一個詩魂的奔放。倪秋雁聽呆了，鏡裏的秋雁也聽呆了；阿寶聽呆了，一屋子的傢具，壁上的畫，全聽呆了。

三小姐對着小黃的小嗓子歎歎的看着。多精緻的一張嘴，多靈巧的一個小脖子，多淘氣的一雙小腳，拳拳的抓住籠裏那根橫條，多美的一身羽毛，黃得放光，像是金絲給編的。稀小的一個鳥會有這麼多的靈性？三小姐直怕他那小嗓子受不住狂唱的汹湧，你看牠那小喉管的急迫的顫動，簡直是一顆顆的珍珠往外接連着吐，梗住了怎麼好？它不會炸吧！阿寶的口張得寬寬的，手扶着窗闌，眼裏亮着水。什麼都消滅了除了這頭小鳥的歌唱。但在他的歌唱中却展開了一個新的世界。在這世界裏一切都沾上了異樣的音樂的光。

三小姐的心頭展開了一個新的光亮的世界。彷彿是在一座凌空的虹橋下站着，光彩花雨似的錯落在她的衣袖間，鬢髮上。她一展手，光在她的胸懷裏；她一張口，一球晶亮的光滑下了她的咽喉。火熱的，在她的心窩裏燒着。熱勻勻的散布給她的肢體，美極了的一種快感。她覺得身子輕盈得像一支胡蝶，一陣不可制止的欣快驀地推逗着她騰空去飛舞。

虹橋上灑下了一個聲音，艷陽似的正款着她的黃金的粉翅。多熟多甜的一個聲音！唷是娘呀，你在那兒了？娘在廊前坐在她那湘妃竹的椅子上做着針線，帶着一個玳瑁眼鏡。我快活極了，娘，我要飛，飛到雲端裏去。從雲端裏望下來，娘，咱們這院子怕還沒有爹爹書台上那方硯台那麼大？還有娘呢，你坐在這兒做針線，那就夠一個猫那麼大——哈哈，娘就像是偎太陽的小阿米！那小阿米還看得見嗎？她頂多也不過一顆芝麻大，哈哈，小阿米，小芝麻。瘋孩子！老太太笑着對不知門口站着的一個誰說話。這孩子瘋得像什麼了，成天跳跳唱唱的？你今天起來做了事沒有？我有什麼事做，娘？她歎歎的側着一隻小圓臉。唉，怎麼好，又忘了，就知道玩！你不是自己討差使每天院子裏澆花，爹給你那個青玉花澆做什麼的？要什麼不給你就呆着一張臉扁着一張嘴要哭，給了你又不肯做事，你看那盆西方蓮乾得都快對你哭了。娘別罵，我就去！四個粉嫩的小手指鷹爪似的抓住了花澆的鏤空的把手，一個小姆指翹着，她興匆匆的從後院舀了水跑下院子去。『小心點兒，花沒有澆，先澆了自己的衣服。』櫻紅色大朵的西方蓮已經沾到了小姑娘的恩情，精圓的水珠極輕快的從這花瓣跳盪那花瓣，全溶入了盆裏的泥。娘！她高聲叫。娘，我要喝涼茶娘老不讓，說喝了涼的要肚子疼，這花就能喝涼水嗎？花要是肚子疼了怎麽好？她鼓着她的小嘴脣問。花又不會嚷嚷。『傻孩子算你能幹，會說話，』娘樂了。

每回她一使他的小機靈娘就樂。『傻孩子，算你會說話，』娘總說、這孩子實在是透老實的，在座有姑媽或是姨媽或是別的客人娘就說、你別看她說話機靈，我總愁她沒有主意，小時候有我看着，將來大了怎麽好？可是誰也沒有娘那樣疼她。過來，三，你不冷吧？她最愛靠在娘的身上，有時娘還摟着她的小手，替她拉齊她的衣襟，或是拿手帕替她擦去臉上的土。一個女孩子總得乾乾淨淨的，娘常說。誰的聲音也沒有娘的好聽。誰的手也沒有娘的軟。

這不是娘的手嗎？她已經坐在一張軟櫈上，一手托着臉，一手撚着身上的海青絲絨的衣角。阿寶記起了樓下的事已經輕輕的出了房去。小黃唱完了他的大套，還在那裏發疑問似的零星的吱喳。『噢。』『噢。』『接理。』她聽來是娘在叫她：『三』『小三，』『秋雁。』她同時也望見了壁上掛着的那只芙蓉，祇是她見着的另是一隻芙蓉，在她回憶的繁花樹上翹尾豁翅的跳跟着。『三』又是娘的聲音，她自己在病床下躺着。『三』娘在門口說，『你猜爹給你買回什麽來了？』『你看！』娘已經走到床前，手提着一個精緻的鳥籠，裏面歇着一隻黃毛的小鳥。『小三簡直是迷了，』隔一天她聽娘對爹說，『病都忘了有了這頭鳥。這鳥是她的性命。非得自己餵。鳥一開口唱她就發楞，你沒有見她那樣兒，成仙也沒有她那樣快活。鳥一唱誰都不許說話，都得陪着她靜心聽。』『這孩子是有點兒慧根，』爹就說。爹常說三兒有慧根。『什麼叫慧根，我不懂』她不止一回問。爹就拉着她的小手說『爹在恭維你哪，說你比別的孩子聰明。』真的她自己也說不上，為什麼鳥一唱她就覺得快活，心頭熱火火的不知怎麼才好；可又像是難受，心頭有時酸酸的眼裏直流淚。她恨不得把小鳥窩在她的胸前用口去親他。她愛極了他。『再唱一支吧，小鳥，我再給你吃，』她常常央着它。

可是阿寶又進房來了，『小姐，想什麼了，』她笑着說『天不早，上床睡不好嗎？』

狄雁站了起來。她從她的微妙的深沈的夢境裏站了起來，手按上眼覺得潮潮的沾手。她深深的呼了一口氣。『二十三，二十三。為什麼偏不二十三？』一個憤怒的聲音在她一邊耳朵裏響着。小俞那有黑圈的一雙眼，老五的笑，那黑毛鬼臉上的刀疤，那小白丸子，運命似跳着的又一瞥瞥的在她眼前扯過。『怎麼了？』她搖了搖頭，還是沒有完全清醒。但她已經讓阿寶扶着她，幫着她脫了衣服上床睡下。『小姐，你明天怎麼也不能出門了。你累極了，非得好好的養幾天。』阿寶看了小姐恍惚的樣子心裏也明白着實替她難受。『喃阿寶，』她又從被裏坐起身說『你把我首飾匣子裏老太太給我那串珠項圈拿給我看看。』

十八年二月三日完

・選自《輪盤》・

一個清清的早上

翻身？誰沒有在床上翻過身來？不錯，要是你一上枕就會打呼的話，那原來用不着翻什麼身；就使在半夜裏你的睡眠的姿態從朝裏變成了朝外，那也無非是你從第一個夢跨進第二個夢的意思，或是你那天晚飯吃得太油膩了，你在枕上扭過頭頸去的時候你的口舌間也許發生些嘍唾的聲響——可是你放心，就這也不能是夢話。

咢先生年輕的時候從不知道什麼叫做睡不着，往往第二隻襪子還不曾剝下他的呼吸早就調勻了，到了早上還得他媽三四次大聲的叫嚷才能叫他擦擦眼皮坐起身來的。近來可變得多了，不僅每晚上床去不能輕易睡着，就是在半夜裏使勁的翕着枕頭想「着」而偏不着的時候也狠多。這還不礙，頂壞是一不小心就說夢話，先前他自己不信，後來連他的聽差都帶笑臉回說不錯，先生您愛閉着眼睛說話，這來他嚇了，再也不許朋友和他分床或是同房睡，怕人家聽出他的心事。

咢先生今天早上的確在床上翻了身，而且不止一個。他早已醒過來，他眼看着稀淡的曉光在窗紗上一點點的添濃，一晃晃的轉白，現在天已大亮了。他覺得狠倦，不想起身，可是再也合不上眼，這時他朝外床屈着身子，一隻手臂直挺挺的伸出在被窩外面，半張著口，半開著眼，——他實在有不少的話要對自己說，有不少的牢騷要對自己發洩，有不少的委屈要向自己清理。這大清清的早上正合式。

白天太忙；咒他的，一起身就有麻煩，白天直到晚上，清早直到黃昏，沒有錯兒；那兒有容他自己想心事的空閒，有幾回在洋車上伸着腿合着眼頂舒服的，正想搬出幾個私下的意思出來盤桓、盤桓，可又偏偏不爭氣洋車一拐彎他的心就像含羞草讓人撿了一把似的裹得緊緊的再也不往外放；他頂恨是在洋車上打盹，有幾位喫肥肉的歪着他們那原來不正的腦袋，口淚一絞絞的簡直像冰葫蘆似的直往下掛，那樣兒才叫寒傖！可是他自己一坐車也掌不住下巴往胸口沉，至多賭咒不讓口淚往下漏就是。這時候躺在自己的床上，橫直也睡不着了，有心事儘管想，隨你把心事說出口都不礙，這洋房子漏不了氣！對他也真該仔細的想一想了。

其實又何必想，這乾想又有什麼用？反正是這麼一會事，唉！一兜身他又往裏床睡了，被窩漏了一個大窟窿，一陣冷空氣攻了進來激得他直打寒噤。哼，火又滅了，老崔真該死！無好好一個男子，為什麼甘願受女人的氣，真沒出息！難道沒了女人，這世界就不成世界？可是她那雙眼，她那一雙手——那怪男人們不拜倒——O, mouth of honey, with the thyme for fragrance, Who with heart in breast could deny your love? 這兩性間的吸引是不可少的，男人要是不喜歡女人，老實說這世界就不成世界！可是我真的愛她麽？這時候罗先生伸在外面的一隻手又回進被封裏去了，仰面躺着。就像一張臉露在被口上邊，端端正正的像一個現製的木乃伊。愛她不愛她：……這話就難說了；喜歡她，那是不成問題。她要是真做了我的……哈哈那可斗了，老孔準氣得鼻孔裏冒煙，小彭氣得小肚子發脹，老王更不用說，一定把他那管鐵銹了的白郎林拿出來不打我就毀他自己。咳，他真會幹，你信不信？你看昨天他靠着牆的時候那神氣，簡直彷彿一隻餓急了的野獸，我真有點兒怕他！咢先生的身子又彎了起來，一隻手臂又出現了。得了，別做夢吧，她是不會嫁我的，她能懂得我什麼？她只認識我是一個比較漂亮的留學生，只當我是一個情急的求婚人，只把我看作跪在她跟前求布施的一個——她壓根兒也沒想到我肚子裏究竟是青是黃，我腦袋裏是水是漿——這那兒說得上了解，說得上愛？早着哪！可是……咢先生又翻了一個身。可是要能有這樣一位太太，也夠受用了，說一句良心話。放在跟前不討厭，放在人前不着急。這不着急頂要緊。要像是杜國楨那位太太朋友們初見面總疑心是他的媽，那我可受不了！長得好自然便宜，每回出門的時候，她輕輕的軟軟的掛在你的臂彎上，這就好比你捧着一大把的百合花，又香又艷的，旁人看了羨慕，你自己心裏舒服，你還要什麼？還有到晚上看了戲或是跳過舞一同回家的時候，她的兩靨讓風刮得紅村村的，口唇上還留着三分的胭脂味兒，那時候你擁着她一同走進你們又香又暖的臥房，在鏡台前那盞鵝黃色的燈光下，仰着頭，斜着臉，瞟你這麼一眼，那是……那是……咢先生這時候兩隻手已經一齊掙了出來，身體也反撲了過來，背仰着天花板，很勁的死擠他那已經半癟了的枕頭。那枕頭要是玻璃做的，早就讓他擠一個粉碎！

唉！咢先生喘了口長氣，又回復了他那木乃伊的睡法。唉，不用想太遠了；按昨兒那神氣下回再見面她整個兒不理會我都難說哩！我為她心跳，為她吃不下飯，為她睡不着，為她叫朋友笑話，她，她那裏知道？就使知道了她也不得理會。女孩兒的心腸有時眞會得硬，誰說的「冷酷，」一點也不錯，你為她傷了風生病，她就說你自個兒不小心，活該，就使你為她吐出了鮮紅的心血，她還會說你自己走道兒不謹愼叫鼻子碰了牆或是牆碰了你的鼻子，現在鬧鼻血從口腔裏哼出來嚇呵人哪！咳，難，難，難，什麼戰爭都有法子結束，就這男女性的戰爭永遠鬧不出一個道理來；凡人不中用，聖人也不中用，平民不成功，貴族也不成功。呼，反正就是這麼回事，隨你繞大彎兒小彎兒想去，回頭還是在老地方，一步也沒有移動。空想什麼，咒他的——我也該起來了。老崔！老崔！打臉水。

·遲白輪盤·

老李

一

他有文才嗎？不，他做文課學那平淮西碑的怪調子，又寫的怪字，看了都叫人頭痛。可是他的見解的確是不尋常？也就只一個怪字。他七十二天不剃髮，不刮鬍子，大冷天人家穿皮褂穿棉襖，他禿着頭單布褲子，頂多穿一件夾袍。他倒寶貝他那又黃又焦的牙齒，他可以不擦臉，可是擦牙漱口彷彿是他的情人，半天也捨不了，每天清早，擾我們好夢的是他那大排場的漱口，半夜裏攪我們不睡的又是他那大排場的刷牙；你見過他的算草本子沒有，那纔好玩，代數、幾何，全是一行行直寫的，倒虧他自己看得清楚！總而言之，一個字，老李就是怪，怪就是老李。

這是老李同班的在背後討論他的話，但是老李在班裏雖則沒有多大的磁力，雖則很少人真的愛他，他可不是讓人招厭的人，他有他的品格，在班裏很高的品格，他雖是怪，他可沒有斑點，每天他在自修室的廊下獨自低着頭伸着一個手指走來走去的時候，在他心版上隱隱現現的不是巷口錫箔店裏穿藍竹布衫的，不是什麼黃金臺或是吊金龜，也不是湖上的風光，男女，名利，游戲，風雅，全不是他的份，這些花樣在他的靈魂裏沒有根，沒有種子。他整天整夜在想的就是兩件事：算學是一件，還有一件是道德問題——怎樣叫人不卑鄙有廉恥。他看來從校長起一直到聽差，同學不必說，全是不夠上流，全是少有廉恥。有時他要是下輸了棋，他愛下的圍棋，他就可以不吃飯不睡覺的想，想倘然他在那角上早應了一手，他的對手就沒有辦法，再不然他只要顧自己的活，也就不至於整條的大魚讓人家圍圈的吞去……他愛下圍棋，也愛想圍棋，他說想圍棋是值得的，因為圍棋有與數學互相發明的妙處，所以有時他怨自己下不好棋，他就打開了一章溫德華斯的小代數，兩個手指頂住了太陽穴，細細的研究了。

老李一翻開算學書，就是個活現的瘋子，不信你去看他那書桌子，原來學堂裏的用具全是一等的劣貨，總是庶務攢錢，那裏還經得起他那很勁的拍，應天響的拍，拍得滿屋子自修的，都轉過身子來對着他笑。他可不在乎，他不是罵算數教員胡亂教錯了，就說溫德華斯的方程式根本有疑問，他自己發明的強的多，簡便的多，並且中國人做算學直寫也成了，他看過李壬叔的算學書全是直寫的，他看得頂合式，為什麼做學問這樣高尚的事情，都要學外洋，總是奴從的根性改不了！拍的又是一下桌子！

有一次他在演說會裏報名演說，他登臺的時候（那天他碰巧把鬍子剃淨了，倒反而看不慣）大家使勁的拍巴掌歡迎他，他把右手的點人指放在桌子邊，他那一雙離魂病似的眼睛，釘着他自己的指頭看，儘看，像是大考時看夾帶似的，他說話了。我最不願意的，我最不贊成的，我最反對的是——是拍巴掌。一陣更響亮的拍巴掌！他又說話了。兄弟今天要講的是算學與品行的關係。又是打雷似的巴掌，坐在後背的叫好兒都有。他的眼睛還是釘住在他自己的一個指頭上。我以為品行……一頓。我以為算學——又一頓。他的新修的鬢邊，青皮裏泛出紅花來了。他又勉強講了幾句，但是除了算學與品行兩個字，誰都聽不清他說的是什麽，他自己都不滿意，單看他那眉眼的表情，就明白。最後一陣霹靂似的掌聲，夾着笑聲，他走下了講台。向後面那扇門裏出去了。散了會，以後人家見他還是亞里斯多德似的，獨自在走廊下散步。

二

老李現在做他本鄉的高小學堂校長了。在東陽縣的李家村裏，一個中學校的畢業生不是常有的事；老李那年得了優等文憑，他人還不曾回家，一張紅紙黑字的報單，上面寫着貴府某某大少爺畢業省立第一中學優等第幾名等等，早已高高的貼在他們李家的祠堂裏，他上首那張捷報，紅紙已經變成黃紙，黑字已經變成白字，年分還依稀認得出，不是嘉慶八年便是六年。李家村茶店酒店裏的客人，就有了閒談的資料，一班人都懂不得中學堂，更懂不得優等卒業，有幾位看報識時務的，就在那里打比喻講解。高等小學卒業比如從前的進學，秀才。中學卒業算是貢生，優等就算是優貢。老李現在就有這樣的身分了。看他不出，從小不很開口說話，性子又執拗，他的祖老人家常說，單怕這孩子養不大，誰知他的筆下倒來得，又肯用功，將來他要是進了高等學堂再一畢業，那就算是中了舉了！常言說的人不可以貌相不是？這一群人大都是老李的自族，他的祖輩有，父輩也有，子輩有，孫輩也有，甚至叫他太公的都有。這一年的秋祭，李家族人聚會的時候，族長就提出了一個問題。他們公堂裏有一份祭產，原定是歸有功名的人收的，早出了缺，好幾年沒有人承當，現在老李已經有了中學文憑，這筆進款是否應該歸他的，讓大家公議公議，當場也沒有人反對，就算是默認了。老李考了一個優等，到手一份祭產也不能算是不公平。老李的母親是個寡婦，聽說兒子有了榮耀，還有進益，當然是雙分的歡喜。

老李回家來不到幾天，東陽縣的知事就派人來把他請進城去。這是老李第一次見官，他還是禿着頭，穿着他的大布褂子，也不加馬褂，老李一輩子從沒有做過馬褂，就有一件黑羽紗的校服，領口和兩肘已經爛破了，所以他爽性不穿。縣知事倒是很客氣，把自己的大轎打了來接他，老李想不坐，可是也沒有話推託，只得很不自在的鑽進了轎門，三名壯健的轎夫不到一個鐘頭就把老李擡進了知事的內宅。「官？」老李一路在想，「官也不定全是壞的。官有時候也有用，像現在這樣世界，盜賊、姦淫，沒有廉恥的世界，只要做官的人不貪不枉，做個好榜樣也就好得多不是。曾文正的原才裏講得頂透闢。但是循吏還不如酷吏，循吏只會享太平，現在時代就要酷吏，像漢朝那幾個鐵心辣手的酷吏，纔對勁兒。看那邊不又是打架，那可憐的老頭兒，頭皮也讓扎破了。這兒又是一羣人圍着賭錢。青天白日，當街賭錢。壞人只配惡對付。殺頭，絞凌遲，都不應該廢的，像我們這樣民風強悍的地方，更不能廢，一廢壞人更沒有忌憚。更沒有天地了。真要有酷吏纔好。今天縣知事請我不知道為什麼。他信上說有要事面商，他怎麼會知道我……」

下午老李還是坐了知事大老爺的轎子回鄉。他初次見官的成績很不壞，想不到他到那樣的開通，那樣的直爽，那樣的想諒真辦事。他要我幫忙——辦開民高小？我做校長？他說話到真是誠懇。孟甫叔父怎麼能辦教育？他自己就沒有受什麼教育。還有他的品格！抽大煙，外還侵吞學費；哼，不要說公民資格，人格都沒有，怎麼配當校長？怎麼配教育青年子弟？難怪地方上看不起新開的學堂，應該趕走，應該趕跑。可是我來接他的手？我幹不幹？我不是預定考大學預科將來專修算學的嗎？要是留在地方上辦事，知事說的為「桑梓幫忙」我的學問也就完事了。我媽倒是最願意我留在鄉裏，也不怪她，她上了年紀，又沒有女兒，常受鄰房的嘔氣，氣得肝胃脾肺腎輪流的作怪，我要是一出遠門，她不是更沒有主意，早晚要有什麼病痛，叫她靠誰去？知事也這麼說，這話到是情真。況且到北京去念書，要幾千里路的路費，大學不比中學，北京不是杭州，用費一定大得多，我那兒有錢使——就算考取了也還是難，爽性不去也罷。可是做校長？校長得兼教修身每星期訓詞——這都不相干，做一校之長，頂要緊就是品格，校長的品格，就是學堂的品格。我主張三育並重，德育，智育，體育，——德育尤其要緊，管理要從嚴，常言說的棒頭上出孝子，好學生也不是天生的，認真來做一點社會事業也好，教育是萬事的根本，知事說的不錯，我們金華這樣的賭風，淫風，械鬥，搶刦，都為的群眾不明白事理，沒有相當的教育，教育，小學教育，尤其是根本，我不來辦難道還是讓孟甫叔父一般糊塗蟲去假公濟私不成，知事說的當仁不讓

……

三

『娘的話果然不錯，』老李又在想心思，一天下午他在學校操場的後背林子裏獨自散步，『娘的話果然不錯，』世道人心真是萬分的險巇。娘說孟甫叔父混號叫做笑面老虎，不是好惹的，果然有他的把戲。整天的喫毒藥，整天的想打人家的主意。真可笑，他把教育事業當作飯碗，知事把他撤了換我，他只當是我成心搶了他的飯碗——我不去問他要前任的清賬，已經是他的便宜，他倒反而唆使猛三那大傻子來跟我搗亂。怎麼，那份祭產不歸念書的，倒歸當兵的；一個連長就會比中學校的卒業生體面，真是笑話。幸虧知事明白，沒有聽信他們的胡說，還是把這份收入判給我。我到也不在乎這三四十擔租米，碰到年成壞，也許穀子都收不到，就是我媽到不肯放手，她話也不錯，既是我們的名分，為什麼要讓人強搶去。孟甫叔父的說話真凶，真是笑裏藏刀，句句話有尖刺兒的，他背後一定咒我，一定很勁的毀謗我。猛三那大傻子，樣上他的臭當，隔着省分奔回來替我爭這份祭產，他準是一個大草包，他那樣子一看就是個強盜，他是在廣東當連長的，殺人放火本來是他正當的職業，怪不得他開口就想罵，動手就想打，我是不來和他們一般見識，把一百多的小學生管好已夠我的忙，誰還有閑工夫吵架？可是猛三他那傻，想了真叫人要笑，跑了幾千里地，祭產沒有爭着，自己倒賠了路費，聽說他昨天又動身回廣東去了。他自己家庭的數轕，他倒滿不知道，街坊誰不在他的背後笑呵，——真是可憐，蠢奴才，他就配當兵殺人！那位孟甫老先生還是喫他的烏煙，我到不知道他還有什麼好主意！

四

知事來了！知事來了！

操場上發生了慘劇，一大羣人圍着。

知事下了轎，挨進了人圈子。踏爛的草地上橫躺着兩具血污的屍體。一具斜側着胸口流着一大堆的濃血，右手裏還拏着一柄半尺長鋒亮的尖刀，上面沾着梅花瓣似的血點子，死人的臉上，也是一塊塊的血斑，他原來生相粗惡，如今看了更可怕了。他是猛三。老李在他的旁邊躺着，仰着天，他的情形看的更可慘，太陽穴下，顴腦殼，兩肩，手背，下腹，全是尖刀的窟窿，有的傷處，血已經瘀住了，有的鮮紅還在直淌，他睜着一雙大眼，口也大開着，像是受致命傷以前還在喊救命似的，他旁邊伏着一個五六十歲的婦人，拉住他一隻石灰色的手，在哽咽的痛哭。

知事問事了。

猛三分明自是殺的，他刺死了老李以後就把尖刀望他自己的心窩裏一刺完事。有好幾個學生也全看見的，現在他們都到知事跟前來做見證了。他們說今天一早七點半早操班，校長李先生站在那株白果樹底下督操，我們正在行深呼吸，忽然聽見李先生大叫救命，他向着這一頭直奔，他頭上已經冒着血，背後凶手他手裏拿着這把明晃晃的刀（他們轉身望猛三的屍體一指）很命的追，李先生也慌了，他沒有望我們排隊那兒逃，否則王先生手裏有指揮刀也許還可以救他的命，他走不到幾十步，就被那凶手一把揪、住了，那凶手眞凶，一刀一刀的直刺、一直把李先生刺倒，李先生倒地的時候，我們還聽見他大聲的嚷救命，可是又有誰去救他呢，不要說我們，連王先生也嚇呆了，本來要救，也來不及，那凶手把李先生弄死了，自己也就對準胸膛戳了一刀，他也完了。他幾時進來，我們也不知道，他始終沒有開一聲口。……

知事說夠了夠了，他就叫他帶來的仵作去檢猛三的身上。猛三夾襖的口袋裏有幾塊錢，一張撕過的船票，廣來招商局的，一張相面先生的廣告單，一個字紙團。知事把那字紙團打開看了，那是一封信。那猛三不就是四個月前和老李爭祭產的那個連長嗎？老李的母親揩乾了眼淚，走過來說，正是他，那是孟甫叔父怪嫌老李偷了他的校長，故意唆使他來搗亂的。我也聽是這麼說，知事說，孟甫眞不應該，他把手裏的字條揚了一揚，恐怕眼前的一場流血，也少不了他的分兒，猛三的妻子是上月死的嗎？是的。她為什麼死的？她為什麼死的！知事難道不明白，街坊上這一時沸沸揚揚的，還不是李猛三家小的話柄，眞是話柄：

猛三那糊塗蟲，纔是糊塗蟲，自己在外省當兵打仗，家裏的門戶倒沒有關緊，也不避街坊的眼，朝朝晚晚，儘是她的發潑，少得雞犬不寧的。果然，自作自受，太陽掛在頭頂，世界上也不能沒有報應……好，就到種德堂去買生皮硝喫，一喫就鬧血海發暈，請大夫也太遲了，白送了一條命，不怪自己，又怪誰去！

知事說冤有頭，債有主，這兩條新鮮的性命，死得眞冤，老李便可惜，好容易一鄉上有他一個正直的人，又叫人給毁了，眞太寃了！眼看這一百多的學生，又變了失奶的孩子，又有誰能比老李那樣熱心，勤勞，又有誰能比他那高尚的品格？孟甫眞不應該，他那暗箭傷人，想了眞叫人痛恨，也有猛三那傻子，聽他說什麽就信什麽，叫他趕回來爭祭產，他就回來爭祭產，告他老李逼死了他的妻子，叫他回來報仇，也沒有說明白為的是什麽，他就趕了回來，也不問個紅黑是非，船一到，埠天亮就趕來和老李拚命，見面也沒有話說，動手就行凶，殺了人自己也抹脖子，現在死沒有對證，叫辦公事的又有什麽主意。

五

老李沒有娶親，沒有子息；沒有弟兄，也沒有姊妹；他就有一個娘，一個年老多病的娘。他讓人扎了十幾個大窟窿扎死了。他娘滾在鮮血堆裏痛哭他；回頭他家裏狹小的客間裏，設了靈座，早晚也就只他的娘哭他，現在的骨頭已經埋在泥裏，一年裏有一次兩次墝紙錠給他的——也就只他的老娘。

全書 精裝五十冊 平裝二十冊 定價大洋三十元 概不零售

現代創作文庫

・第六輯・

徐志摩選集

定價
大洋一元五角

實售
大洋一角五分

編選者
徐沉泗・葉忘憂

出版者
上海萬象書屋

總經售
上海四馬路
中央書店

中華民國二十五年四月初版